O Cachorro e o Lobo

Obras do autor

UM CÃO UIVANDO PARA A LUA
Gernasa, 1972 / 3ª edição: Ática, 1979 / 4ª edição: Record, 2002.
Traduzido para o espanhol (Argentina).

OS HOMENS DOS PÉS REDONDOS
Francisco Alves, 1973 / 3ª edição: Record, 1999.

ESSA TERRA
Ática, 1976 / 27ª edição: Record, 2015.
Traduzido para o francês, inglês, italiano, alemão, holandês, hebraico e espanhol (Cuba).

CARTA AO BISPO
Ática, 1979 / 3ª edição: Record, 2005.

ADEUS, VELHO
Ática, 1981 / 5ª edição: Record, 2005.

BALADA DA INFÂNCIA PERDIDA
Nova Fronteira, 1986 / 2ª edição: Record, 1999.
Traduzido para o inglês. Prêmio de Romance do Ano do PEN Clube do Brasil (1987).

UM TÁXI PARA VIENA D'ÁUSTRIA
Companhia das Letras, 1991 / 9ª edição: Record, 2013.
Traduzido para o francês.

O CENTRO DAS NOSSAS DESATENÇÕES
RioArte/Relume-Dumará, 1996 – esgotado / 1ª edição: Record, 2015.

O CACHORRO E O LOBO
5ª edição: Record, 2008.
Traduzido para o francês. Prêmio *Hors-Concours* de Romance (obra publicada) da União Brasileira de Escritores (1998).

O CIRCO NO BRASIL
Funarte/Atração, 1998.

MENINOS, EU CONTO
12ª edição: Record, 2014.
Contos traduzidos para o espanhol (Argentina, México, Uruguai), francês (Canadá e França), inglês (Estados Unidos), alemão e búlgaro.

MEU QUERIDO CANIBAL
11ª edição: Record, 2015.
Traduzido para o espanhol (Espanha) e publicado em Portugal.

O NOBRE SEQUESTRADOR
5ª edição: Record, 2015. Publicado em Portugal.

PELO FUNDO DA AGULHA
4ª edição: Record, 2014.

Antônio Torres

O Cachorro e o Lobo

6ª edição

EDITORA RECORD
RIO DE JANEIRO • SÃO PAULO
2015

CIP-Brasil. Catalogação na fonte
Sindicato Nacional dos Editores de Livros, RJ.

T643c Torres, Antônio, 1940-
6ª ed. O cachorro e o lobo / Antônio Torres. – 6ª ed. – Rio de Janeiro: Record, 2015.
224p.

ISBN 978-85-01-04846-2

1. Romance brasileiro. I. Título.

97-0384
CDD – 869.93
CDU – 869.0(81)-3

Copyright © 1997 by Antônio Torres

Capa: Victor Burton

Todos os direitos reservados. Proibida a reprodução, armazenamento ou transmissão de partes deste livro, através de quaisquer meios, sem prévia autorização por escrito.

Texto revisado segundo o novo Acordo Ortográfico da Língua Portuguesa.

Direitos exclusivos desta edição adquiridos pela
EDITORA RECORD LTDA.
Rua Argentina 171 – Rio de Janeiro, RJ – 20921-380 – Tel.: 2585-2000

Impresso no Brasil

ISBN 978-85-01-04846-2

Seja um leitor preferencial Record.
Cadastre-se e receba informações sobre nossos lançamentos e nossas promoções.

EDITORA AFILIADA

Atendimento e venda direta ao leitor:
mdireto@record.com.br ou (21) 2585-2002.

1.
O Telefonema

Eis aí

Eis-me de regresso a essa terra de filósofos e loucos, a começar pelo meu pai, que disso tudo tem um pouco.

E se aqui estou é por causa dele mesmo. Ou melhor, dos seus oitenta anos. Foi uma festa de arromba, me disseram. No dia seguinte!

Um presente de grego, pensei, sem saber se ria ou chorava. Sim, só fiquei sabendo quando tudo já havia acabado e todos já estavam pegando o caminho de volta. E aí uma boa alma deu por falta de uma rês que fazia muito se desgarrara do rebanho. E fez o que seu coração mandava e suas pernas ainda podiam aguentar: correu. Como se algum filósofo lhe tivesse soprado ao pé do ouvido que não é a fé que remove montanhas, mas o complexo de culpa. Sem tempo a perder com delongas e especulações vãs, disparou como uma louca, quem sabe na esperança de se redimir. Pois havia sido ela mesma, a benquista, terna, responsável, abnegada, devotada etc., e agora chorosa mana Noêmia, a escolhida para avisar ao irmão ausente — o que vivia longe, sem dar notícias, sem escrever e nem telefonar para ninguém. E, assim, o que se esquecera de tudo e de todos agora havia sido esquecido. Castigo dos deuses? Não. Uma falha — grave, gravíssima — da mensageira, logo ela, a que nunca falhava e não ia falhar. Ela mesma, a que havia se vangloriado, na cara de todos, de ter descoberto o número do telefone do renegado, um segredo que nem morta revelaria a ninguém, muito menos ao próprio. "Onde andei com minha cabeça?" Agora ela corria para recuperar o que já sabia irrecuperável. A data já havia passado. Ainda assim, ia falar com o grande ausente, para se desculpar pelo esquecimento, para lhe pedir mil e um perdões. Pernas pra que te quero, cabelos à solta, o coração na mão, ó cabecinha de vento!, tanto filho, marido, irmãos, sobrinhos, primos, visitas, providências, compras, louças, roupas, conversas, fraldinhas, uma netinha, ai!, o entra e sai em sua casa, a preparação da viagem, o aniversário do pai, telefonemas, ah!, o telefone, surpresa, surpresa, aquele humilde lugar, onde todos nasceram, cresceram e viveram até a hora de ir embora, sim senhor, aquele remoto lugarzinho já tinha telefone, quem diria! E era para o posto telefônico que ela estava indo. Correndo.

— Alô! Eu queria falar com Totonhim. É você mesmo? Totonhim? Adivinha quem está falando?

Entre uma voz e outra havia uma estrada com mais de dois mil quilômetros de distância. Isso não era nada, perto dos séculos a separá-las. E então a voz que vinha de longe, do túnel do tempo, entoou um familiar lamento sertanejo, primeiro para dizer que finalmente toda a família havia conseguido se reunir — "Só faltou você" — e depois para contar algumas coisas sobre papai, umas engraçadas, outras preocupantes, passando a seguir a perguntar sobre se eu ainda me lembrava dela, e se também lembrava que tinha pai, mãe e irmãos, e do cheiro do alecrim, da palavra saudade, lembrava?, lembrava? E perguntava, perguntava:

— Sabe quanto tempo faz que você não põe os pés aqui?
— Sei, claro.
— Então, diga, com a sua própria boca.
— Desde que saí daí.
— E quantos anos faz isso?
— Um bocado de tempo.
— Vinte anos, seu cachorro. Isso é coisa que se faça? Não tem vergonha, não? Vinte anos sem uma única palavra. Por que você faz isso com a gente?

Por quê? Por quê? Por quê?

Era uma longa história. Não daria para contá-la por telefone. Além disso, não saberia por onde começar. Minha doce, lamentosa, perguntadeira e recriminadora mana do peito não estava lá — lá mesmo, de onde agora estava me ligando —, no dia em que vim embora. Não foi ela quem viu nosso irmão Nelo — oh, filho pródigo! — com o pescoço numa corda, no armador de uma rede, os olhos apavorantemente esbugalhados, a língua enormemente esticada para fora da boca, a cabeça desgovernadamente pendida para um lado, todos esses elementos compondo um aterrorizante quadro de dor e horror. Não foi ela, nem qualquer outro de nossos irmãos, quem teve de ficar de vigília até papai chegar para fazer o caixão. Nem quem teve de ouvir as beatas a praguejar, como um bando de gralhas mal-assombradas: "Enforcado não entra na Igreja." Ou as perguntas do delegado de polícia, para as quais não havia respostas. E a voz do doido Alcino, infernizando, enlouquecendo, ora como um boi berrando para o sol, ora como um cão uivando para o sul: "Mais um condenado foi para o inferno. Mirem-se, condenados!" Definitivamente não foi minha doce irmã Noêmia quem viu mamãe chegar para ver o seu herói morto (ó dia, ó vida, ó azar!) e perder o juízo na mesma hora, para que eu tivesse mais uma tarefa a cumprir nesse dia: procurar um lugar para interná-la, ainda que tivesse de rodar quinze léguas pela noite adentro, banhando-me e perfumando-me pelo caminho com os produtos liquefeitos que suas vísceras não conseguiam segurar, nos solavancos do jipe da Prefeitura. Não foi ninguém mais que, depois de tanto esforço, sofrimento e providências, não conseguiu retornar a tempo para o enterro, ou seja, para dizer adeus ao lendário irmão que regressara à terra onde nascera, depois de vinte anos pelas bandas de São Paulo-Paraná, onde tudo é verde como o céu (sim, o céu é verde; lá chove sempre), para oferecer a nós todos apenas o triste espetáculo da sua morte, legando-nos um pau de arara cheinho de perguntas. Meninos, fui eu que vi meu pai fazendo o caixão, com a paciência de um boi na canga, tendo por companhia unicamente uma garrafa de cachaça. À medida que esvaziava a garrafa, ia ficando mais desgostoso. E lá pelas tantas já era tanto o seu desgosto, que não teve a mesma paciência de antes, para esperar por mim: dispensou os meus préstimos no traslado do defunto para a cova. Apressou-se em enterrar o morto e pôr uma pedra sobre o assunto. Mas não é só por esses acontecimentos que não posso cantar como o Caetano Veloso: "No dia em que eu vim embora / não teve nada de mais." Comigo teve coisa até demais.

Foi só dizer que ia embora para ouvir poucas e boas. Papai se enfureceu. Disse que eu não tinha amor àquela terra, nem eu nem meus irmãos, e por isso a terra nos amaldiçoaria, por todo o sempre. Depois ficou mais calmo, pensou, refletiu, coçou a cabeça e concluiu que eu fazia bem em ir embora. Para seguir o exemplo. Falou em exemplo abaixando as vistas, resignado. Qual e de quem, não precisou completar. Não era preciso. Mas havia uma coisa estranha nisso, digamos, uma ironia do destino. Ele não acabava de enterrar aquele que podia me servir de exemplo? Pensei em lhe dizer isso, brincando, para relaxar os ânimos. Mas me contive. Eu sabia perfeitamente a que exemplo papai se referia. Não era, naturalmente, o do Nelo que voltou e se matou, matando o sonho do lugar, que sempre sonhou em partir. Tanto que todo mundo endoideceu — ninguém havia conseguido dormir naquela noite. O exemplo que eu tinha de seguir só podia ser o do outro Nelo — o que partiu. Pois eu que partisse também, e não voltasse tão cedo, para que o lugar pudesse continuar sonhando. Com as chuvas de um perene mês de maio, no eterno verde de um céu chamado São Paulo-Paraná. Com um lugar à sombra das árvores das patacas, lá longe, muito além do arco-íris, pra lá do Vale do Anhangabaú, do Viaduto do Chá. Enquanto isso, eu, o que viria a partir, iria precisar de muito chá de casca de laranja para poder dormir e ter bons sonhos. Mesmo assim aconteceu de algumas vezes o chá não fazer efeito. Para que eu passasse muitas noites atormentado com a imagem de um pescoço numa corda, dois olhos esbugalhados, uma cabeça pendente, uma língua monstruosa numa boca apavorante. Ao fundo, uma enlouquecedora voz de alma penada: "Totonhim? Você não é o Totonhim? Então você é meu irmão. E se somos irmãos somos amigos, certo? Me leve na casa da minha mulher. Fica em Itaquera ou no Itaim, pra lá de São Miguel Paulista. Quero ver os meus filhos. Mexa-se, Totonhim. Chame um táxi. Corra. Não, você não é o Totonhim. Você não é meu irmão, porra."

Sim, eu sou o Totonhim. Quer saber mais? Sempre tive medo de voltar lá e dar de cara com... com aquela cara que um dia eu vi pendurada numa corda. Pior — bom, deixa pra lá. O tal exemplo a seguir. Quer dizer, há momentos em que penso que o lugar continua à espera de que eu volte para completar o ciclo aberto pelo meu irmão Nelo. Ele, ele, ele. Só se falava nele. Naquele tempo eu achava que para meus pais pouco importava se o ano tinha 365 dias e quatro estações, nem se a Terra era redonda e girava em torno do seu próprio eixo. Para eles o que verdadeiramente tinha importância era o fato de haverem gerado um filho chamado Nelo, o primogênito. O sabido. O atirado. O vitorioso — nas terras ricas do sul de São Paulo-Paraná. E fui eu mesmo quem ouviu da boca do meu pai esta queixa: "Tinha tão pouca gente." Foi logo depois do enterro, a algumas horas da minha partida. Quase lhe respondi, com a convicção da mais empedernida das beatas: "Enforcado não entra na Igreja." E nem garante cemitério lotado. Pobre filho da mãe. Não teve o reino dos céus verdejantes de São Paulo-Paraná, mas o negrume das profundas nas entranhas do massapê do sertão baiano. Pobre filho da puta. Quantos olhos estarão à espreita para ver se vou seguir o teu exemplo? Aquele, o derradeiro? Papai, coitado, sabia o que estava me dizendo e sabia que eu ia entender direito o tal do exemplo. Por acaso terá pensado na hipótese de estar falando de corda em casa de enforcado? Pobre filho de uma égua. Ele mesmo. Papai. Meu pai. O velho. Mas eu estava pau da vida com essa história de não haverem me avisado antes sobre os seus oitenta anos. Esqueceram de mim. Como se eu não fizesse parte da família.

Não se preocupe tanto, não se torture mais. Nada é mais como antes, parece me dizer a terna, tristonha e chorona Noêmia, virando o disco e dando à conversa um tom mais otimista, quase entusiástico:

— O lugar agora está uma gracinha. Dá gosto de ver. Tem luz elétrica noite e dia, água encanada, televisão de montão, banca de jornais, dois ginásios, dois hospitais, supermercado, carro a dar com o pau e, pasme, até uma biblioteca pública!

— O quê?! Nessa terra sem rádio e sem notícias das terras civilizadas?

— Você está por fora. Ainda está no tempo do serviço de alto-falantes. Agora todo mundo aqui é cidadão subdesenvolvido — ela deu uma gostosa gargalhada. Também ri, entendendo a brincadeira a respeito das pessoas do lugar que voltavam do Sul metidas a falar bonito, ou falando difícil, enchendo suas bocas com palavras de que nem sempre sabiam o significado, muitas vezes querendo dizer o contrário do que estavam dizendo. Depois, me arrependi. Não era caso de deboche. Era de pena.

— Ô essa menina. Venha cá, minha fia — carreguei bem no sotaque, esperando que ela se divertisse com isso. — Vosmecê tá mangando d'eu?

— Não, menino. Estou falando sério. Até aquele sotaque retado do nosso tempo acabou. Tabaréu da roça aqui só da idade de papai pra trás.

— E adonde estão os capiaus do nosso tempo?

— Foram todos pra São Paulo. Você não vê todos eles por aí, não? Aqui só a seca é que continua igual ou pior. Há dez anos não chove nessa terra. Não é fácil achar um raminho de alecrim. Nem no mato, lá no tabuleiro.

— Vai ver arrancaram o alecrim pra fazer no lugar uma faculdade de comunicação.

— Por que logo de comunicação?

— Pro pessoal sair da roça direto pra uma agência de propaganda em São Paulo. Ou pra TV Globo, no Rio de Janeiro.

— E você, menino. O que você faz na vida?

E tome pergunta. Se *enriquei* — e por isso nunca mais dei bola pra ninguém da família. Se já me casei. Se tenho filhos. Por que é que não pego a mulher e os filhos e levo lá, para conhecer os parentes. Não adianta argumentar com as dificuldades de ordem prática. O trabalho da mulher, o colégio das crianças. Qualquer desculpa para não pegar um avião, um ônibus ou um carro, já, e ir acalentar-me no colo de mana Noêmia, chorar todas as saudades em seu ombro — inclusive a saudade dos seus cafunés —, qualquer motivo alegado terá as mesmas e definitivas interpretações: falta de vontade, de consideração, de amor. Eis aí o preço do apego, do afeto — cobrança. Essa conversa vinha de longe e longe ia. Minha mão já estava dormente. Meu ouvido ardia. Troquei a posição do fone e perguntei por mamãe. Estava viva e ainda lá, na graça de Deus. Até que bem. Teve aquele problema, quando viu o amado, adorado, idolatrado filho Nelo morto. Ficou aluada, mas se recuperou. Foi uma perda de juízo temporária. O mais incrível: aos setenta e cinco anos, ainda conseguia botar uma linha no buraco de uma agulha, sem óculos. E papai? Agora a ex-tristonha, ex-lamentosa e ex-chorona mana Noêmia encheu o peito: "Porreta!" O velho estava ótimo. Magro, enxuto, lúcido, brincalhão. Adorava cantar, dançar e contar causos e mais causos. Tinha uma saúde de ferro. Mas, atenção: estava fumando e bebendo demais. E, quando ficava bêbado, dava os maiores vexames. Passava a xingar e a provocar todos que lhe aparecessem pela frente.

— E aí, o que acontece?

— Nada. As pessoas dão risada. Acho que todo mundo aqui gosta dele. Se não, já estava morto ou já tinha levado muita porrada.

— E então? Por que se preocupar? Ele já chegou aos oitenta. O resto é lucro.

Sim e não. Era preciso não esquecer que cigarro e bebida matam. E ela — falava em nome de toda a família, na verdade — morria de vergonha quando via papai bêbado, tropeçando nas pernas e nas palavras, que nem um palhaço, alvo fácil da chacota pública. O que fazer? Nada, respondi. Bebida mata, sim, mas lentamente. E o velho já deu provas de que não tem pressa. Agora, se lhe tirassem na marra o cigarro e a bebida, ele podia ficar tão triste, tão deprimido, que ia acabar morrendo rapidinho. Obviamente tais argumentos não a convenciam. Deve ser uma raridade encontrar uma mulher que seja condescendente com os bêbados. Os únicos, aliás, que acham que só eles veem o mundo girar.

O pior era que papai andava vendo outras coisas. Vendo e ouvindo — a ex-chorosa mana Noêmia passava a um tom mais grave. Segundo ela, todo fim de tarde, na boca da noite, papai se senta na varanda de sua casinha da roça (que fica bem lá em cima, no começo da Ladeira Grande, com uma vista deslumbrante a perder-se no horizonte), acende um cigarro e passa a contemplar os últimos raios de sol, a morrer no Brasil para nascer no Japão, deixando atrás de si um rastro de vermelhidão de anúncio do fim do mundo ou propaganda dos cigarros Marlboro. Na verdade, de acordo com o quadro pintado pela repentinamente lírica mana Noêmia, aquela contemplação fazia parte de um ritual: a espera da noite com sua escuridão, suas estrelas, seus visitantes. As almas do outro mundo. Que apareciam assim que a noite ganhava corpo e forma, favorecendo o convívio, a vida social, para criaturas sensíveis à luz do dia. Chegavam e batiam altos papos, animadamente. Esses longos serões com os mortos faziam papai se sentir como nos velhos e bons tempos, quando tivera uma casa imensa, cheia de meninos e visitas. Ao contrário dos vivos, os mortos não tardavam nem falhavam. Eram pontuais e conversavam até se cansarem, quando pediam licença, se despediam e se retiravam, prometendo voltar. E voltavam sempre. "Será que papai ficou broco?", perguntava uma preocupada mana Noêmia. Fazia quanto tempo que eu não ouvia essa palavra? Broco: sem tino perfeito, por causa da idade avançada. Mas ela não já havia dito que o velho estava ótimo, em perfeitas condições físicas e mentais? Afinal, isso era verdade ou não era?

— Calma — ela disse. — Papai tem boa saúde, sim. O que eu temo é que ele esteja enlouquecendo, naquela casinha da roça, onde fica o tempo todo sozinho. Tem uma casa na rua, onde pode ficar pro resto da vida, mas não fica nela por muito tempo, nem amarrado. A gente leva o velho pra Salvador, aí no dia seguinte ele já começa a dizer que as suas galinhas vão morrer porque não tem quem dê comida pra elas, que precisa plantar feijão, e que isso, que aquilo. É só cair uma chuvinha que ele arriba. Às vezes sai pra passar uns dias com mamãe, em Alagoinhas, lembra de Alagoinhas, recorda-se de Alagodé? A primeira cidade de nossas vidas, entre a roça e a capital, se lembra? Pois papai chega lá de manhã e volta de tarde, todo apressado. Volta correndo pra sua roça. É assim. Tenho medo que ele morra sozinho. Já pensou? Papai morrendo sozinho, sem ninguém por perto, sem a gente ficar sabendo?

Ufa! Era como se eu estivesse pagando todos os meus pecados — os do silêncio, do esquecimento, da falta de notícias, atenções, correspondência. Mana Noêmia não precisava me ameaçar com mais dramaticidades para eu jogar a toalha. Prometi-lhe que iria pensar com carinho nuns dias de férias e, quem sabe? E ela, que me perguntava quando eu ia tomar vergonha, entendendo-se por "tomar vergonha" ir visitá-la já, agora, a ela, papai, mamãe, aos outros irmãos e irmãs, bem, ela queria minha palavra de que eu iria fazer isso, o mais breve possível, agora, já. E não é que quando desliguei o telefone estava mesmo pensando em tal possibilidade? Ela tinha razão: papai podia morrer sozinho, qualquer dia desses, e eu nem ia ficar sabendo, a não ser muito tempo depois. E aí minha alma é que iria pro buraco, pros quintos dos infernos. Tinha de ir vê-lo, urgentemente. Além do mais, aquela história de que ele andava falando com os mortos havia me deixado fascinado. Achei isso um barato. Quem seriam esses mortos? E o que conversavam? Bebiam uma cachacinha? Pitavam um cigarrinho? Davam risada, faziam molequeira, sacaneavam uns aos outros, como aluno de colégio interno em dia de folga? Ou eram todos uns tristonhos, nostálgicos, melancólicos? Seriam almas penadas ou já quites com suas penas? Meu irmão Nelo frequentava esses saraus? Andaria ele ainda sem pouso e sossego, ou já havia chegado o seu dia de descansar em paz? Tão impressionante quanto os serões do meu pai com o povo do outro mundo era imaginá-lo sem medo dos mortos. Por isso ele acabava de crescer no meu conceito. Virava um herói. Sim, eu iria voar ao seu encontro. O mais rápido possível. Cheio de curiosidade e alguns temores. Medo. Muito medo mesmo, que ninguém é de ferro.

E assim se passaram vinte anos, pensarei, ao chegar lá. Assim se passaram vinte anos sem eu ver estes rostos, sem ouvir estas vozes, sem sentir o cheiro do alecrim e das flores do mês de maio. Nem o das cambraias engomadas das meninas cheirando a sabonete Eucalol, as que levavam as flores para a igreja, nas novenas do mês de maio. Assim se passaram vinte anos: sem eu queimar a sola dos pés nas areias do tabuleiro, nem nos caminhos de massapê das baixadas. Sem escorregar no tauá da ladeira da Tapera Velha, sem subir de joelhos em penitência até o Cruzeiro da Piedade. Sem roubar goiaba em quintal alheio e pedir perdão ao Cruzeiro dos Montes e à Virgem Mãe de Deus, Nossa Senhora do Amparo, a nossa padroeira. Sem dar risada com as histórias do velho povo, que ri de tudo e de todos, como quando diz, encerrando uma prosa, na hora de ir embora:

— O negócio, doutor, é bater palma pra maluco dançar.

Assim foi. Assim é. Cá estou. Chegando.

Maluco está o meu pai. De alegria.
É assim que o reencontro: sorrindo de orelha a orelha. Ele abre os braços, corre para o abraço:
— Você por aqui? Vai chover.
Diz isso de boca cheia. Calorosamente. O que me leva a pensar que passou os últimos vinte anos da sua vida à minha espera.
Só não contava com o que ele iria dizer, a seguir:
— Agora me diga: quem é você? Sei que é da minha família. Mas não me lembro qual é. Você é algum dos meus netos? É filho de Nelo ou de Noêmia? Se é neto, só pode ser filho de algum dos meus mais velhos.
Os filhos de Nelo nunca pisaram aqui. Nem eu, que moro em São Paulo, os conheci. Tento entender a confusão mental do meu pai e desculpá-lo por isso. Afinal, são tantos filhos, tantos netos. Até bisnetos ele já tem. Não dá mesmo para se lembrar de todos, um a um. Pena que até hoje não tenha conhecido um filho do seu idolatrado, salve, salve, primogênito. Tudo que restou dele se perdeu na fumaça.
Não. O meu pai não está bêbado. Ainda não.
Só não está é me reconhecendo.
Digo:
— Eu sou seu filho. O Totonhim.
E ele, me abraçando com força, desinibição, efusividade,

o que me desconcerta, pois nunca foi dado a esses arroubos e salamaleques:

— Eis aí. Totonhim de São Paulo-Paraná. Se teu avô fosse vivo ia dizer: "Caboco setenta. Tu vale por setenta deste lugar."

— Ele dizia isso nos anos setenta. Agora diria assim: "Caboco noventa."

— Eis aí. E com mais um pouco ia dizer assim: "Caboco 2000."

— "Êta caboco bom."

— Eis aí. Pena que não teve paciência de esperar o dia da gente dizer pra ele: "Caboco vinte e um. O senhor vale por vinte séculos e mais um."

Eis aí. Nunca antes duas palavrinhas juntas, formando uma interjeiçãozinha um tanto quanto em desuso, entraram tão redondamente em meus ouvidos. Eis aí um homem que, ao tornar-se oitentão, apresenta um vigor na voz capaz de surpreender a todos os mortais, de todas as idades. Podem espalhar que as suas cordas vocais estão muito bem-conservadas em alcatrão, nicotina e álcool, muito álcool, cana brava. Mas, psiu! Cuidado com os ouvidos da patrulheira mana Noêmia, de mamãe e de todo o esquadrão feminino da família, incluindo-se nisso a parentada toda por afinidade, as comadres, amigas, vizinhas, conhecidas mesmo de longe, beatas, *ora pro nobis*, ó virgem, amém.

— E aí, velho? Vamos tomar uma, pra comemorar?

— Obrigado, mas não bebo. Aceita um café? Se quiser, vou fazer, agorinha mesmo. Ainda se lembra do meu café?

Eis aí, eis aí. Alguém me enganou, mas deixa pra lá.

2.
Manhã

Ô velho

E eis que me venderam um pai bêbado e entregaram um sóbrio. Nada mal, para começar. Mas em verdade, em verdade, vos digo: estou decepcionado.

Na verdade mesmo eu estava preparado era para uma história longa e triste — meu pai escornado no balcão mais encardido da mais remota bodega deste remotíssimo lugar, meu pai a tropeçar nas próprias pernas por becos sujos e vielas escuras, meu pai largado nas mais imundas sarjetas, meu pai lambido pelos cães e beijado — na boca! — pelas moscas, meu pai troçado, escarnecido, sacaneado pela turba, a malta, a galera, achincalhado desapiedadamente por tudo e todos, Deus, o diabo, o mundo. Ao fundo, a todo volume, o dó de peito do cantor *tonitruante como Júpiter*, a voz orgulho do Brasil, O Berro:

> *Tornei-me um ébrio e na bebida busco esquecer*
> *Aquela ingrata que eu amava e que me abandonou.*
> *Apedrejado pelas ruas, vivo a sofrer,*
> *Não tenho lar e nem parentes, tudo terminou...*

Enquanto a voz de trovão sacode as vidraças, balança os vitrais, estilhaça os cristais, uma câmera passeia pela velha praça de sempre e revela os olhos contristados do velho povo, a se debulhar em grãos de chuva, as pérolas de chuva de uma terra onde nunca chove, mas onde, se Deus quiser, vai chover.

E aí, nem bem chego aqui, descubro que não tem drama nenhum. O que encontro é um pai sorridente (e ele ainda tem dentes, e muitos, e em bom estado, parece). Tanto quanto parece um homem feliz. Esse velho... Vai ver, é de mim que ele está rindo — da minha cara de espanto, de surpresa, de decepção. Queimaram o meu filme. E eu não sou nenhum rei da chuva e começo a achar que perdi a viagem. Se soubesse, não tinha vindo. E agora, Totonhim, que fazer? Dançar um tango argentino? Cantar um bolero?

O Serviço de Alto-Falantes a Voz do Sertão informa: procura-se pai bêbado, desbocado, vexaminoso — um insensato octogenário — para o porre do século, a carraspana definitiva, o pileque homérico, em eloquente desobediência às reiteradas recomendações de uma mãe em adiantado estado de consumição, irmãos e irmãs padecendo da mesmíssima aflição, tias com excesso de disponibilidade, parentes e aderentes igualmente desocupados, médicos terroríficos, empedernidas beatas, ah, o poder catequético das beatas, elas são do bem, e é aí que está todo o mal. Vinde a mim o lobo velho desgarrado, de preferência se estiver a fim de ficar mais bêbado do que um gambá. Juntos enfiaremos o pé na jaca, conjugaremos o verbo beber em todos os tempos e modos, eu bebo, tu bebes, nós bebemos, ele e eu, pai e filho, eu e ele, filho e pai, como dois loucos, a dizer besteira até o sol se pôr, e a filosofar em silêncio até o sol raiar. E eu me sentindo no melhor dos mundos. Por ainda ter um pai com quem podia encher a cara, certo de que ele jamais erraria o caminho de casa.

Eu estava bem alto ao pensar nisso: a uns dez mil metros de altitude, cruzando os céus do Brasil, entre São Paulo e Salvador da Bahia, com um carrinho de bebidas apontando no corredor do avião. "Tintim, velho. Saúde. Feliz aniversário." (Tudo bem, o aniversário dele foi há três meses e alguns dias, mas cá me vou.) "Antes tarde do que nunca, o senhor não acha?"

— Acho que você mora é longe, não é?
— Sim, senhor. Bota longe nisso.
— E você veio lá do fim do mundo só para me ver?
— É. Só para lhe ver.
— E eu que pensava...
— Que eu já tinha morrido?
— Não, não foi isso.
— Então o senhor pensava que nunca mais eu vinha aqui.
— Eu pensava que nunca mais ia ver você.
— Ainda bem que o seu pensamento não estava certo.
— É, você está aqui. Quem diria!
— Cheguei atrasado para a festa de aniversário, mas não esqueci o seu presente.
— Presente mesmo é a sua vinda.

Estamos os dois na sala de visitas de uma velha casa. Uma casa velha.

Velha casa: não sei quantas gerações nela se arrancharam, nos dias de missa, nas santas missões, nas festas da padroeira. Minha memória só pode alcançar o tempo em que os meninos da minha idade faziam a festa, embolados numa mesma cama, em colchões e esteiras jogados no chão. Aqui era a casa da rua e pertencia ao meu avô materno, distando uns poucos passos da do meu avô paterno, logo ali, na esquina em frente. Ninguém nunca morou aqui. Passavam-se dias, até o padre ir embora e todo mundo pegar o caminho da roça. Vinha-se para cá com todo o assanhamento deste mundo. Voltava-se de crista arriada, um passo hoje outro anteontem. Com certeza, esta casa deve guardar a memória da felicidade das crianças e das desavenças dos adultos, principalmente entre minha mãe e suas irmãs. Por que viviam se estranhando? Nós, os meninos, não nos interessávamos pelos seus desentendimentos. Enquanto as mães brigavam, os filhos brincavam. Bom mesmo era beliscar a coxa de uma prima. Tudo isso e o repicar dos sinos. Chamando para a missa, para o catecismo, a crisma, os batizados, os casamentos. A velha casa está onde sempre esteve: próxima à igreja, bem perto de Deus. Assim devia pensar o meu avô, e o pai dele, e o pai do pai dele, e só resta saber se todos foram para o céu.

Casa velha, por estar bastante castigada, descascada, desbotada, como se estivesse cheia de estrias, rugas, tristeza e cansaço.

Esta sala, de tantos domingos engomados, cheirando a sabonete e roupa lavada, guarda uma lembrança triste. Uma história trágica. Mas ainda não tive coragem de olhar para o canto onde tudo aconteceu. Nem quero pensar nisso agora. Agora, que estou absorvido pelas primeiras impressões deste reencontro com o meu pai. E o velho parece uma criança, ao abrir a sacola com os presentes que lhe trouxe, dizendo: "Mas, rapaz, você não precisava se preocupar, não precisava, não precisava." No entanto, está contente em receber mais estes presentes pelos seus oitenta anos: camisas, sapatos, calças e, até, um paletó que tirei do meu armário, ainda em bom estado, diga-se. Dei uma geral no meu guarda-roupa, para a alegria do velho. Um par de sapatos, porém, é novinho em folha, ele mesmo é quem vai tirar o selo. Faço com que o experimente e ele se espanta por eu não ter me esquecido do número dos seus sapatos. Simples, eu calço o mesmo número. Temos o mesmo tamanho de pé.

— Que bom que você veio — ele diz. — E chegou na hora. Porque se você tivesse demorado mais cinco minutos não ia me achar aqui. Eu já estava quase saindo para a roça.
Ah, a sua casinha na roça. Onde todo mundo acha que ele vai morrer. Sozinho.
Pergunto-lhe por que não passa a morar aqui na rua, de vez. E ele:
— Até você? Nem bem chegou, já vem com isso? Quem andou enchendo os seus ouvidos? Ora veja só! Já mandaram até o padre me dar conselho. O padre, o prefeito, o delegado de polícia, os vereadores, as zeladoras da igreja, tudo quanto é autoridade e vivente destas redondezas. É, só faltava você. Agora não falta mais.
— Não é bom que as pessoas se preocupem com o senhor? É para o seu bem. — Saiu horrível esse "para o seu bem", mas, quando me dei conta disso, já era tarde.
— Pro meu bem, coisa nenhuma. Isso é falta do que fazer. Por que não vão cuidar de suas próprias vidas? Povo besta.
Ao dizer "povo besta" dá uma risada, voltando ao jeitão alegre de antes. E explica que esta casa não é dele. Mamãe havia vendido a parte dela para um dos irmãos, que comprara de quem queria vender e ficara dono sozinho. Esse meu tio mora no sul do estado e só vem aqui de tempos em tempos. Porém, deu uma chave para o meu pai, para que ele cuide da casa de vez em quando, evitando que ela seja derrubada ou invadida. Ele dorme aqui quando vem à cidade e resolve ficar para o dia seguinte. Penso que é inútil tentar saber dele por que decidiu viver assim, sozinho, longe de todos. Por que ele e mamãe se separaram? Não tem mesmo medo de morrer sozinho? Só uma única coisa no mundo parece incomodá-lo: as suas galinhas. O medo de que fujam ou sejam roubadas. Como os filhos. Por falar nas galinhas, ele diz que depois do almoço podemos ir à sua

casa, lá na Ladeira Grande, "para você matar a saudade do seu tempo de roça". A palavra "almoço" me chama à razão. E lhe passo outra sacola, cheia de mantimentos. E ele, mais uma vez: "Não precisava se incomodar. Não precisava..." E se retira para a cozinha, avisando que primeiro vai fazer um café. Depois fará o almoço. Eu que não me preocupe: ele sabe muito bem se virar na cozinha. Pudera. Com todos esses anos vivendo sozinho...

Ao chegar à porta da sala, antes de dobrar à direita e sumir lá pra dentro, ele para, vira-se pra trás e diz:

— Bem, você conhece a casa. Pode escolher o quarto que quiser pra deixar as suas coisas. Sim, diga, qual o quarto que você quer?

Dou de ombros e respondo que tanto faz, mas na verdade sempre gostei do quarto da frente, porta a porta com a sala de visitas e com duas janelas para a rua. Prefiro este por causa da claridade e é nele que vou me instalar. Como meu pai deixou todos os seus presentes espalhados sobre as cadeiras e até no chão, me apresso em fechar as duas janelas que ele abriu logo que cheguei — e quando cheguei só a porta de entrada estava semiaberta —, já que minha intenção é acompanhá-lo até a cozinha. Não quero deixá-lo só. Ou, por outra: eu é que não quero ficar sozinho nesta sala, para não ter que olhar para o canto onde, com certeza, ainda há um certo armador de rede, o gancho onde meu irmão Nelo há vinte anos enfiou uma corda e nela pôs o seu pescoço e disse: *"Bye-bye,* Brasil." Como vou ter que conviver com isso, com essa coisa de não querer ficar sozinho, nem à plena luz do dia, não sei. Este é o problema. Meu pai, porém, que já deve ter perdido a conta dos caixões que fez na vida, do número de crianças e adultos (anjinhos e pecadores) que já enterrou, ele que, dizem, toda noite recebe a visita dos mortos, com os quais bate altos papos, em longas tertúlias, não pode saber disso. Vai dizer: "Homem, se assunte. Tome tenência.

Medo de morto? Você tem mais que ter medo é dos vivos." E nem dos vivos ele parece ter medo. Pois, ao notar que vou fechar as janelas, espanta-se:

— Pra quê? Pode deixar tudo aberto. Janela, porta, tudo. Aqui não tem ladrão.

Agora quem se espanta sou eu:

— O quê?!

— Tem, não. Nunca teve. Esqueceu?

— Difícil de acreditar que haja um lugar hoje no mundo sem ladrão, um único ladrão. Mas já que o senhor garante...

— Garanto. Ladrão mesmo só lá pras civilidades onde você mora.

— É — eu digo, e o acompanho, pensando: "Vai ver, vim parar num paraíso e não sabia."

Antes de deixar a sala dou uma olhada de soslaio no retrato oval do meu avô, que continua na parede principal, bem ao centro, quer dizer, onde sempre esteve, posando para a posteridade. Impressionante: mesmo desbotado, carcomido pelo tempo, o retrato ainda mantém a sua personalidade bem viva, preserva suas características fundamentais, uma serena altivez, um discreto orgulho, uma transparente fidalguia. Única obra de arte pendurada na parede, esta fotografia é também o único troféu de toda uma família. Isto porque a foto da minha avó não está aqui — e eu sei que havia uma foto dela aqui, mas isto foi há muito tempo. Pode ser que alguém a tenha levado, como recordação, ou a tenha trocado de parede, nesta casa mesmo. Meu avô estava muito bem barbeado e engravatado na hora em que tirou esse retrato. E deixou como registro, até o fim dos tempos — isto é, enquanto esta fotografia existir —, a ponta de um sorriso, no canto da boca. Ou será que é agora que ele está sorrindo? Vai ver é daquilo que andei pensando sobre o poder catequético das beatas. Deve, do alto do seu retrato, ter achado isso engraçado. Mas não pode dar risada abertamente, em público, sendo católico praticante, respeitador do povo da igreja de Deus. "A bênção, padrinho."

— Totonhim, ainda bem que você chegou, para tirar uma dúvida. É verdade que você é comunista?

— Por que o senhor está me perguntando isso, padrinho?

— Porque me disseram que você não acredita em Deus.

— Quem lhe disse?

— Seu primo Louro.

— Ah, o tenente da Marinha. Nosso herói de guerra.

— Ele mesmo. Disse que você é ateu.

— Como é que ele pode saber alguma coisa a meu respeito? As poucas vezes em que conversamos, ele estava caindo de bêbado. Aliás, desde que se reformou que não faz outra coisa, a não ser encher a cara. E eu só conheci o tenente depois que ele se reformou.

— Você está falando a verdade, Totonhim?

— Claro, padrinho.

— Então você acredita em Deus?

— Às vezes.

— Por que às vezes?

— Sei lá, padrinho. Isso é complicado.

— Por que você às vezes perde a fé em Deus?

— Não dá para acreditar em tudo, o tempo todo.

— Em Deus, dá. Acredite. E Deus lhe ajudará.

Ah, padrinho. O senhor é do tempo em que ou se acreditava em Deus ou se era comunista. Daquele tempo em que crente e comunista era tudo a mesma coisa. O senhor não vai acreditar, mas não sobrou um só comunista, nem para semente. De repente, desapareceram, dir-se-ia que num passe de mágica. Agora, quanto aos crentes, cresceram e se multiplicaram, biblicamente. Entoando loas ao Senhor e pagando o dízimo ao pastor. Mas, acredite, meu inesquecível padrinho, meu idolatrado, salve, salve, avô: não vim aqui para ofender a Deus, nem para denegrir o senhor, nem para desonrar e manchar a sua memória. Portanto, não se sinta ofendido se eu lhe disser que só há duas coisas no mundo das quais sinto saudade: o tempo dos comunistas e o tempo dos boleros. Acho que o mundo era muito mais interessante nesse tempo. E o que era que havia nesse tempo? Sei lá. Já passou.

Sigo atrás do meu pai, em silêncio. Ele, no entanto, cantarola. Só faltava ser uma música dos crentes, para completar o clima. Vou seguindo os seus passos, no corredor, passando por muitos quartos, todos fechados. Ao chegar à sala de jantar, sinto que uma sombra passa por mim. Não podia ser a minha própria sombra, porque avançou e seguiu o meu pai para a cozinha. Era um vulto em movimento idêntico ao de uma pessoa andando. Paro. E não apenas para fazer um reconhecimento da sala, mas também para me refazer do susto que a passagem da sombra me causou. E para tanto me concentro nos vestígios de si mesma que a sala ainda guarda. Não há cheiro de mulher por aqui. Uma mulher poria uma toalha bonita sobre a mesa e, sobre a toalha, um jarro de flores ou uma cesta de frutas. Não deixaria que a cristaleira, tão antiga, tão familiar, tão senhorial, fosse condenada ao pó. Na parede à minha frente, um relógio de cuco. Parado. Não vou cair na besteira de dizer que aqui o tempo parou. É só um relógio parado, à espera de alguém que lhe dê corda ou que o leve para o conserto. A porta e as duas janelas que dão para o quintal estão fechadas. E eu estou numa sala em penumbra, guiando-me pela luz indireta que vem do corredor e da cozinha. Ainda haverá flores no quintal, como antigamente? Rosas vermelhas e brancas. Rosas amarelas. Flores para as meninas levarem para a igreja, nas novenas do mês de maio. E onde estarão as meninas para quem colhi flores, em muitos meses de maio? Ninguém ressona ou fala dormindo, ou sussurra, ou ri, ou reclama. Nenhuma criança chorando. E no entanto o meu pai está cantando. Ouça, Totonhim. Escute só:

— "O café torrando lá,/o cheiro passando cá."

E olha que ele tem a voz bem entoada. É bom ouvi-lo, é agradável. Sua voz enche esta casa, ecoa sob as ripas, telhas e caibros. Evoca um pôr do sol nos confins do tempo, com um homem puxando a cantiga, essa mesma cantiga, marcando o ritmo na pancada do cacete de bater feijão, com outros homens acompanhando a cantoria, todos andando à volta de uma montanha de feijão e cantando e batendo, nenhum deles podendo errar o ritmo para não bater atrasado ou adiantado e não machucar quem estivesse ao lado, "o café torrando lá (pá), o cheiro passando cá (pá)" — os homens batiam o feijão cantando para marcarem bem o ritmo de suas batidas. E o homem de quem falo puxava essa cantiga exatamente no momento em que uma mulher começava a torrar o café e o cheiro se espalhava pelas redondezas. E eu sei quem é essa mulher, tanto quanto sei que esta era uma cantiga de amor, como ainda deve ser. Pelo menos enquanto for cantada pelo homem que a está cantando. E que agora para e passa a lavar pratos, a mexer em panelas. Sons de cozinha. Sinais de vida.

Passo os dedos na poeira da mesa de jantar. Estávamos todos aqui numa certa Semana Santa. Naquela Sexta-Feira da Paixão não consegui engolir o bacalhau carregado no leite de coco e no azeite de dendê de toda Sexta-Feira Santa. Apesar de estar em jejum, outra santa obrigação de toda Sexta-Feira

Santa. Cuspi no prato logo na primeira garfada. Coro à mesa: "OHHHHHH!" Seguido de um puxão de orelhas. Ah, e os olhares. Todos a condenar o pecador às profundas do inferno. Vai ver eu já tinha feito um pacto com o diabo e iria comer carne, às escondidas. Santa mãe de Deus, valei-me. Eu devia andar com algum problema intestinal, só isso. Não estava suportando o cheiro e o sabor daquele bacalhau, era isso. E só a minha avó teve sensibilidade para perceber o que estava acontecendo. E disse:

— Deem outra coisa a ele.

— Mas o quê?

— Feijão com arroz e farinha, ou puro mesmo — eu disse.

— Ele tem que comer o que está na mesa. Tem que respeitar o dia de hoje. E hoje é dia de bacalhau — disse mamãe.

Meu avô interferiu:

— Na Sexta-Feira Santa não se pode comer carne. Mas isto não significa que só se tenha que comer bacalhau. Arranjem outra coisa pro menino.

E caso encerrado.

Comi feijão com arroz, e pronto. Alguns ainda me fizeram longas vistas com seus olhares mortíferos, naturalmente por estarem detestando aquele bacalhau.

— A bênção, madrinha. Obrigado, padrinho.

Bom mesmo é ter avó e avô! Pai e mãe são muito chatos. Batem, reprimem. Avó e avô botam o neto pra quebrar.

Silêncio.

Meu avô está dormindo numa cadeira de balanço, na varanda do Padre Eterno, embalado pelo vento que embalança a palha do coqueiro nos campos do Senhor. E a minha avó está rezando o seu rosário de todos os dias, ajoelhada diante do nicho iluminado pela lamparina recendendo a azeite, no quarto dos santos, que recende às flores que ela colheu nos jardins da Santa Mãe de Deus. Por quem minha madrinha tanto reza? Espero que não seja por mim, já que isso poderia significar que eu não passaria de um desventurado, diante dos seus olhos — e do seu coração.

Silêncio.

É como um prêmio, uma bênção, a prova definitiva de que valeu a pena ter vindo a este mundo onde não é preciso fechar os olhos para lembrar que tive uma vida antes e que não era igual à que tenho agora, seja lá o que for que faça a diferença entre uma coisa e outra, cargas e descargas elétricas, trepidações, hora marcada, pressa, sei lá. Parece mentira, mas nesta casa não tem televisão.

Silêncio.

É como descobrir que não é só na morte que a paz existe. Aqui, nesta sala em penumbra, dá até para ouvir a minha própria respiração, os meus pensamentos, as vozes que falam por eles ou através deles. E há uma voz que agora faz um alerta: foi preciso que alguns morressem e os outros fossem embora para que eu pudesse ter o privilégio de todo esse silêncio, que acaba de ser cortado por alguma coisa, um ser vivo ou morto que se move dentro da sala, acima da minha cabeça, fazendo um ruidozinho esganiçado, assustador. Volto a pensar em meu avô e no meu irmão Nelo. Pelo barulho deve ser o Nelo, o atormentado, se é que ele ainda não dorme o sono dos justos. Olho para cima e, a princípio, não vejo nada além de ripas, caibros e telhas — simples materiais de construção, de cobertura de casas, essas coisas deste mundo. Mas persiste a sensação de que não estou sozinho nesta sala. Algo se move, se mexe, faz barulho. Meus olhos passeiam pelo telhado até localizarem, pendurado de cabeça pra baixo, sua excelência, um morcego.

— Totonhim! Cadê você? Venha tomar um café.
— Tô indo.

Escuta, Totonhim. Foi o seu pai quem chamou. E ele vai cantar. Outra vez:

— "Acorda, Maria Bonita,/Levanta, vem fazer o café..."

Ah, eu sei quem é essa Maria Bonita. E como sei.

Sim, velho, eu me lembro. O senhor acordava com o canto dos galos. Era o primeiro a levantar-se e ir para a cozinha, acendia o fogo, botava água pra ferver, para fazer o café, antes de ir tirar o leite, no curral. O senhor saía do seu quarto, atravessava a sala e pegava o corredor da cozinha cantando esta mesmíssima cantiga. Sua Maria Bonita hoje vive numa cidade, em outra cidade bem maior do que esta, a quinze léguas de distância, no dizer do velho povo, e não pode ouvir o seu canto. Mas será que ela ainda se recorda do seu alegre despertar, numa casa no campo, em algum lugar do passado?

Ouça, Totonhim:

— "Se eu soubesse que chorando/empato a tua viagem..."

Ô velho. Para com isso. Vamos tomar uma cachaça.

Na cozinha

    Chegue à frente para dois dedos de prosa ao pé do fogão, sob o crepitar da lenha e o fumegar das panelas. O som das cozinhas ancestrais, onde reinavam os filósofos e os loucos.
    Atravesso a porta da sala para a cozinha como quem entra no túnel do tempo das tertúlias. "Tira os dentes da minha jugular", penso, me dando conta do quanto estou perturbado com a visão do morcego pendurado de cabeça pra baixo, com os pés grudados numa ripa, sob o telhado. O morcego que, ao se mover sobre a minha cabeça, espalhou um ruído estridente, arrepiante, me levando a confundi-lo com a alma penada do meu irmão Nelo, se é que o condenado ainda não pagou toda a sua pena. "Por favor, não vampirize os meus pensamentos", eu disse ao morcego pendurado de cabeça pra baixo, enquanto me perguntava se ele não seria a reencarnação do corvo de Edgar Allan Poe:

> *E esta ave estranha e escura fez sorrir minha*
> *amargura com o solene decoro de seus ares*
> *rituais. Tens o aspecto tosquiado, disse eu, mas*
> *de nobre e ousado,*

O Cachorro e o Lobo

Ó velho corvo imigrado lá das trevas infernais!
Dize-me qual o teu nome lá nas trevas infernais.
Disse o corvo, "Nunca mais".

E mesmo que eu lhe dissesse: "...Amigo, sonhos — mortais/ Todos — todos já se foram. Amanhã também te vais", o morcego não iria responder "Nunca mais", pelo simples fato de que ele é apenas um prosaico e repelente morcego e nada mais. E não por saber que nem todos se foram, porque ainda resta o meu pai. Que está à janela, com um cigarro entre os dedos da mão esquerda e uma caneca de café na mão direita. Ele alterna um gole de café com uma baforada do cigarro, o olhar perdido no quintal, e eu me perguntando o que estará vendo. Talvez esteja olhando para ontem, para os bons tempos ancestrais. Mas ele está olhando é para uma galinha que cisca, uma galinha arrodeada de pintinhos e acompanhada por um galo de crista levantada e penacho majestoso. Sentado à mesa da cozinha, eu contemplo a imponência do galo através da porta, e o admiro ainda mais quando ele infla o peito, sacode as asas e canta, como se berrasse para o sol, anunciando todo o seu poder sobre o terreiro. É agora que me sinto de fato com os pés na terra onde nasci. Nestes vinte anos bem longe deste lugar, bastava ver uma galinha e seus pintinhos ciscando, um galo cantando e um caco de telha num terreno baldio, para me lembrar daqui. E o meu pai, em que será que está pensando? Ah, é verdade: ele fuma. O octogenário ainda manda lá pra dentro do peito uma boa carga de nicotina e alcatrão. Parece mentira, mas sua aparência é melhor do que a de muitos não fumantes mais novos do que ele. Papai fuma e pensa. Está barbeado, e vejo nisso um bom sinal: o de que está bem. Deprimidos deixam sempre a barba por fazer, como os suicidas — e olha eu de novo me lembrando do meu irmão Nelo. Quando o encontrei com o pescoço pendurado numa corda, notei que ele não havia feito a barba naquele dia. Além de bem barbeado, meu pai usa um chapéu na cabeça, vai ver para esconder a calvície. Vejo nisso uma pontinha de vaidade, o que também não deixa de ser outro ponto a seu favor. Ah, mas ele sempre andou com um chapéu na cabeça, que só tirava para entrar na igreja ou em sinal de respeito, diante dos mais velhos. E, de filho a filho, dava sempre o mesmo conselho, um tanto bíblico. Ou filosófico:

— Não ande com a cabeça no tempo. Bote o chapéu. Quem anda com a cabeça no tempo perde o juízo. Porque os chapéus foram inventados nos tempos de Deus Nosso Senhor, para cobrir a cabeça dos homens. E todo homem tem de usar o seu chapéu. Você tem o seu. E, se eu lhe dei um, foi para você não andar com a cabeça no tempo.

Sim, ele nunca andou com a cabeça no tempo. Por isso tem juízo, embora muitos — toda a família, para começar — pensem o contrário. Parece viver muito bem acompanhado — consigo mesmo. Parece achar a solidão uma bênção, pois lhe deixa tempo bastante para pensar. Parece não temer a morte e não ter medo de morrer sozinho. Tiro-lhe o chapéu.

Silêncio.

Meu pai já tomou o seu café e agora bafora com um indescritível prazer o seu pensativo cigarro. "Nunca mais", eu penso, ao me dar conta de que ele já não fuma um cigarro de palha ou de papel de seda, a enrolar pacientemente o fumo que ele mesmo picava, num solene ritual. Agora ele fuma Hollywood com filtro, ora vejam só. E, pela satisfação com que bafora as suas tragadas, jamais me atreveria a dizer-lhe que no mundo de onde eu venho os fumantes se tornaram seres humanos desprezíveis.

Sim, reina o silêncio no templo da boa prosa, o antro dos conversadores, nos tempos ancestrais. Não falo de vinte anos, mas de muito para trás, até onde a minha memória não alcança, me restando apenas, muito ao longe, um certo zum-zum-zum que docemente me fazia adormecer. Do que se passou há vinte anos, porém, ainda me lembro. Primeiro, uma conversa com meu irmão Nelo, aqui nesta cozinha, no dia em que ele chegou de São Paulo, muito bem embalado num terno de casimira, sapatos de duas cores, a boca cheia de dentes de ouro, um relógio brilhando mais do que a luz do dia, um rádio de pilha faladorzinho como um corno, e nem um tostão furado nos bolsos — o que só fui ficar sabendo quando já era tarde demais para fazer alguma coisa. E foi aqui, nesta cozinha, que ele perguntou por papai. Respondi:

— Vendeu a roça, a casa da roça e a casa da rua, pagou as dívidas, torrou o troco na cachaça, depois se mudou para Feira de Santana. Não sabia?

— Pobre velho — ele disse e perguntou por mamãe.

— Ela foi antes, para nos botar no ginásio. O velho ficou aqui, zanzando, desgostoso, se maldizendo de tudo. De tempos em tempos ia a Feira. Mas enjoou de andar para cima e para baixo, deu para beber e brigar com todo mundo. Um dia não aguentou mais e sumiu na estrada, em cima de um caminhão, aboiando.

— Pobre velho — Nelo disse de novo e perguntou pelos meninos.

Depois que informei que todos estavam espalhados por aí, pelo estado da Bahia mesmo, ele disse:

— Tenho muita pena de papai.

Ao chegar, do jeito que estava vestido, e pelos seus modos lá do Sul, Nelo (o exemplo vivo de que a nossa terra podia gerar grandes homens, etc.) não aguentou a parada. Matou-se quatro semanas depois.

Meu pai veio de Feira de Santana para enterrá-lo. Depois, entre outras coisas, me disse:

— Eu também não vou durar muito. Tenho certeza disso.

Passou-se isto aqui nesta mesma cozinha, há vinte anos.

Concluo que, se ele disser outra vez que não vai durar muito, pode botar mais duas décadas à sua frente que as traçará com a tranquilidade de quem bate um prato de feijão.

Nem que seja só para contrariar quem acha que ele é digno de pena.

— Seu avô morreu aí, nessa cadeira onde você está sentado — diz o velho, como se voltasse ao mundo dos vivos. — Ele morreu de repente, com um sorriso no canto da boca. Tinha saído da cama e veio aqui para a cozinha, para participar da conversa, numa hora em que eu acabava de chegar para lhe fazer uma visita. E sabe por que ele estava rindo? Porque eu lhe disse: "Que bom, compadre, que o senhor melhorou. Assim, tão cedo eu não vou ser chamado para fazer o seu caixão." Foi aí que ele riu. E morreu.

— É, pelo visto morreu feliz.

— Mas até hoje não foi perdoado por ninguém da família.

— Por quê?

— Só tinha oitenta e cinco anos! Um desaforo alguém aqui morrer com uma idade dessas. O seu outro avô, o meu pai, viveu quase cem anos. E a mãe dele, a sua bisavó, chegou aos cento e dez.

Pensei: enquanto isso, Nelo, o seu filho mais velho, se foi aos quarenta.

E ele, como que adivinhando os meus pensamentos:

— Bom, tem gente que parece que se cansa, nem bem chega na metade do caminho. Seu irmão, por exemplo, que Deus o tenha. Ele não podia estar aqui com a gente, agora, para matar a saudade?

— É — eu digo. E me calo. Na verdade eu acho que ele está por aqui, sim, está na área. Quem sabe não será mesmo ele aquele mamífero noturno e repulsivo, a pendurar-se numa ripa de cabeça para baixo, em pleno dia? Cuidado, mano velho. Você pode cair e quebrar o pescoço. Desça daí e chegue à frente. A casa é sua.

À *janela*

Se esta casa está cheia de fantasmas, em plena luz do dia, ainda não dá para dizer. Mas, por via das dúvidas, vou abrir todas as janelas e deixar o sol entrar. Sol, luz, muita luz. Antes que eu me assombre com a minha própria sombra.

São dez e meia da manhã. Isto quer dizer que estou aqui há apenas trinta minutos. E já parece um bocado de tempo. Acho até que já vi tudo que tinha que ver, já sei que o meu pai está vivo e ainda aqui, inteirão e... sóbrio! Mais sóbrio do que um poste. Quer dizer: já posso voltar. Depois do almoço, claro, para não lhe fazer uma desfeita. Afinal, ele foi para a cozinha por minha causa e lá está, botando água e tempero no feijão e preparando o frango que eu trouxe do supermercado. Já dá para sentir um cheirinho de coentro no ar, "eu quero mesmo é comer com coentro/eu quero mesmo é estar por dentro/como já estive na barriga...", cantarolo baixinho, para não assustar os fantasmas, muito menos quebrar o silêncio, este silêncio tão benfazejo, inusitado, surpreendente, fantástico, inacreditável, meu Deus, como é bom o silêncio, por isso estou cantando bem baixinho, quase inaudível, para que nenhum dos meus mortos mais queridos proteste contra o barulho, o *meu* barulho.

Sim, certo, estou adorando este silêncio tão profundo e maravilhoso. É tão incrível que já levou o meu pai a me perguntar, num momento em que eu estava calado: "O que foi que você disse?" E respondi: "Nada. Eu não disse nada." Já percebendo o efeito de tão longo silêncio, meu pai começava a ouvir tudo o que se passava na minha cabeça. Para quem vem de uma megalópole como São Paulo, um silêncio destes vale mais do que ouro em pó, os prêmios da Supersena, da quina da Loto e de todas as loterias somadas, mas, mesmo assim, eu já começo a me perguntar por quanto tempo serei capaz de suportá-lo. Tanto quanto não sei até quando os meus pulmões resistirão à limpidez do ar que estou respirando.

Silêncio. Meu pai voltou a cantar, não sei se para alegrar os seus mortos, se para matar a saudade de alguma coisa, se de puro contentamento pela minha visita, se realmente está adivinhando chuva ou simplesmente para certificar-se de que está vivo. Ou por ser mesmo um homem feliz. E ponto final. Seja lá qual for a razão, ele canta. Como um pássaro — que não precisa de motivo para cantar.

— Se quiser dar uma volta por aí, para ver os amigos e parentes, aproveite, enquanto preparo o almoço — ele disse ainda há pouco, na cozinha. E acrescentou: — Não deixe de falar com todos, para que não pensem que você voltou orgulhoso. Você sabe como são as pessoas daqui. Se ofendem à toa.

— Mas será que ainda me conhecem? Ainda se lembram de mim?

— E por que não?

— Vinte anos não são vinte dias, não é, papai?

— Bem, lá isso é.

Decido que o melhor é dar um tempo para sair por aí. Preciso criar coragem para encarar o povo, o velho e o novo povo do Junco, do meu velho, tristonho, pacato, remoto e ensolarado Junco. No fundo do meu coração temo que pensem que voltei aqui... para morrer!

E logo num dia tão bonito como este? Seria um pecado, um crime. Céu limpo, sem um único risco de nuvem, azul demais. E meu pai diz que vai chover. Onde será que ele está vendo sinais de chuva? Será por causa do calor? É verdade: está um forno. Sol quente, abrasador, de rachar a moleira, queimar o juízo, fritar ovo no batente da porta, na soleira da janela, como um aviso de que o fim do mundo está próximo, pois assim está escrito nas sagradas profecias: "Não mais a água; da próxima vez, o fogo."

E do fogo não escapará nenhum Noé para contar a história. E o pior: este nosso mundo não passará do ano 2000, meu pai vivia dizendo isto, eu me lembro. Ele repetia o que ouvira de seus antepassados, que repetiam as palavras de fanáticos e profetas. E o ano 2000 é logo ali, ao dobrar a esquina. E aí, pessoal, todo mundo pronto para arder na maior fogueira de todos os tempos? E o senhor, papai, ainda acredita que o mundo vai se acabar antes do ano 2000?

— Se Deus quiser, não vai ter fim de mundo nenhum. Mas, se o mundo vai mesmo se acabar, eu quero estar aqui pra ver. Pois vai ser o maior espetáculo da Terra.

Aí ele balança a cabeça, espantado com o que disse. E tenta se corrigir:

— Não, eu não quero estar aqui pra ver. Mas não se assuste, não. Vai chover no dia do fim do mundo. A chuva apagará o fogo.

— E se não chover?

— Vire essa boca pra lá. E reze pra chover.

Diz isso a sério. E depois, rindo:

— Fim de mundo mesmo, Totonhim, é a velhice. É você olhar para uma linda mulher e ela lhe chamar de senhor.

Se, de fato, ele estiver ouvindo os meus pensamentos, é capaz de vir lá da cozinha até a sala, para reclamar:

— Pare de botar palavras na minha boca, seu cachorro.

Da janela vejo a velha e preguiçosa praça de sempre, com suas casinhas de platibanda coladas umas às outras, todas iguais, ou quase todas. Vejo uma ou outra pessoa andando, bem devagar, um passo hoje, outro depois de amanhã e o pensamento em anteontem. Vejo os telhados enfeitados por antenas parabólicas. Vejo um garotinho de azul e branco, com um caderno e um livro debaixo do braço. E penso: "Já fui você outro dia e tive muitos sonhos. Com que você sonha?" Será que esse menino, no dia 7 de setembro, o Dia da Pátria, põe uma fitinha verde e amarela no peito e solta o verbo, diante da Bandeira Nacional: "Estandarte que a luz do sol encerra, as divinas promessas da esperança"? E quais serão os sonhos deste lugar? Um homem passa a cavalo, chapéu de couro, jaleco de couro, perneira de couro, sapatos de couro cru — deve ser o último vaqueiro. "Dia", ele diz. "Dia", respondo. Basta isso, eu me recordo: dia, tarde, noite. E todos entenderão que você está dizendo *bom dia, boa tarde, boa noite*. Aqui, quem fala muito acaba dando bom-dia a cavalo.

Da minha janela não vejo mais o Pacaembu, que agora amanhece coberto por uma névoa, uma cortina de fumaça, como toda a cidade de São Paulo. Desta janela, aqui na casa do meu avô, onde antigamente as moças ficavam olhando para a estrada, à espera dos rapazes da cidade — principalmente os que foram para São Paulo —, eu vejo o céu e me pergunto, como numa velha canção, por que são tantas coisas azuis, por que há tantas promessas de luz, tanto amor para amar e que a gente nem sabe etc. Não, daqui não vejo o mar, mas vejo o caminho que leva a ele, pela Ladeira Grande, com o seu asfalto reluzente, espelhando ao sol — e esta é seguramente a maior novidade do lugar: o asfalto. Agora, sim, o Junco está no mapa viário do mundo, pois teve os seus quarenta e dois quilômetros de estrada de terra e cascalho asfaltados às pressas na última campanha eleitoral. E como vou ouvir falar nisso, meu Deus. Com que alegria e orgulho dirão todos que o lugar finalmente atravessou o túnel do tempo e chegou ao futuro. A travessia, porém, já registra algumas baixas: os que já morreram acidentados. Na pressa para as eleições, fizeram uma estrada estreita demais. Agora, salve-se quem puder.

Se viro o pescoço à esquerda, vejo o prédio onde funcionava a escola em que estudei. Ali, através de um atlas geográfico, descobri que o mundo era grande. E que a Terra é redonda como a bola que a gente batia na hora do recreio. Quantos sonhos, quantos sonhos. Ainda não vi um único carro de bois. De quando em quando passa um automóvel sem a menor pressa. Olhando à direita, vejo a igreja, branca, imponente, imensa. Ela está fechada, pois hoje é um dia comum, sem missa. Sem graça. Ainda assim, me lembro das meninas muito engomadas, cheirosas, festeiras, nas portas do fundo, saindo da sacristia — com que sonhavam? Olho para este mundo feito de casas simples, lembranças singelas e gente sossegada, tudo e todos sob um céu descampado, e me pergunto se ainda tenho lugar aqui, se conseguiria sobreviver aqui, morar aqui. E me assusto com a pergunta.

No entanto, o que mais me espanta é que até agora o meu pai não me perguntou se vim para ficar ou a passeio, e por quantos dias, se sou casado e tenho filhos, e quantos, se estão bem, e por que não trouxe a mulher e os filhos, por que nunca escrevi para ninguém e nem mandei notícias, se tenho um bom emprego e em que trabalho, se já fiz um pé de meia, se na vinda pra cá me encontrei com minha mãe e os meus irmãos e se sei dizer como vão todos, se ainda me lembro do gosto da rapadura, do doce de mamão, do beiju de tapioca, do aipim com leite, da umbuzada, dum bate-coxa num forró rasgado, se de vez em quando escuto um bolero e choro de saudades da finada jega Mimosa, se alguma vez sonhei com este lugar e se era um sonho bom, se chovia no meu sonho. Se sou feliz.

Até agora eu também não disse que trabalho num banco. No Banco do Brasil! E podia dizer isso de boca cheia, deixando todo mundo de queixo caído: familiares, parentes, aderentes, pais e mães de meus ex-colegas de escola, as zeladoras da igreja. Ah, sim, as beatas por certo chegarão a um êxtase muito assemelhado do orgasmo: "Sim, senhor! Com que então você é do Banco do Brasil?! Quem diria!"

Só não sei se meu pai partilhará do mesmo entusiasmo. Banco do Brasil ou não, é um banco. E não fale em banco perto de mim. "Compadre, banco é tetra", já lhe disse o meu avô. E disse isso tarde demais, quando o meu pai já estava encalacrado com as promissórias vencidas e sem safra que lhe permitisse pagar o empréstimo bancário, angariado para plantar sisal. Foi aí que ele teve que vender suas terras. Foi aí que ele se sentiu um homem sem chão. Se eu disser ao meu pai que trabalho num banco, ainda que no Banco do Brasil, qual será a sua reação? Só dizendo, para saber. Mas não vim aqui para magoá-lo, mexendo em velhas feridas.

Bom, a manhã avança. O sol treme. Como se faltasse pouco mesmo, muito pouco para o mundo pegar fogo. "Não mais a água..."

Fogo. Fogo. Fogo!

Tomara que chova.

Relendo as primeiras histórias

Num tempo em que esse mundo velho era povoado por contadores de histórias, um galo cantando fora de hora já era o começo de um romance — de amor. Uma donzela devia estar sendo roubada dos pais por um sedutor impaciente e levada na garupa de um burro para uma noite de núpcias nos ermos de uma tapera ignota. Eram histórias de amores contrariados. Se teriam finais felizes ou não, só iríamos saber muito tempo depois. Mesmo que o galo estivesse cantando só por cantar, simplesmente para espantar o tédio de seus dias sempre iguais, ou para chamar ao ninho uma galinha arisca, sem a menor intenção de provocar pânico ou anunciar um caso sensacional, o seu canto fora de hora — ainda mais se fosse nas horas das ave-marias — causava impacto e alvoroço. Mães em desespero, todas as mães, corriam pelas salas, quartos, cozinhas e quintais, chamando as filhas, para contá-las, uma a uma, até certificarem-se de que não estava faltando nenhuma.

Aqui tive meu sono de criança embalado num farfalhante colchão de palha pelo vozerio sussurrante de homens cansados, que contavam histórias de ladrões de gado e das guerras das cercas, quando vizinhos armados até os dentes se enfrentavam por um palmo de terra na demarcação dos limites de seus domínios, mandando às favas a crença de que depois de mortos iriam virar um fogo-fátuo, pois a isto estavam condenados: a uma vida eterna na fogueira, em torno das cercas pelas quais tanto haviam brigado. Eis o velho Junco e suas histórias. De pavões misteriosos — sempre a salvar donzelas em cativeiro — à chegada de Lampião ao inferno, onde ele havia enfrentado a sua última batalha — contra Satanás. Se a peleja diabólica teve um vencedor? Ora, e Satanás era lá páreo para um cabra macho como o nosso capitão Virgulino Ferreira, o maior bandoleiro do mundo? Ele simplesmente reduziu o reino de Satã a cacos. Nem depois de morto e degolado iria perder a sua majestade. Uma vez rei do cangaço, sempre rei do cangaço. Assim na Terra como no inferno.

Contavam-se histórias para espantar o medo da noite e suas almas penadas. Para matar o tempo. Para passar uma chuva (aqui já choveu antes, eu me lembro). Para chamar o sono. Ou para não perder o juízo, na solidão destes confins. E dormia-se à espera dos mortos que viessem indicar o lugar onde, em vida, haviam enterrado o dinheiro, suas pequenas fortunas muito bem escondidas dos herdeiros. Um pecado sem remissão. Por isso esses mortos perturbavam o sono dos vivos, até que pudessem se livrar do peso de suas sovinices, encontrando um bom e corajoso vivente capaz de desenterrar o cofre com o produto de seus eternos padecimentos. Só assim poderiam descansar em paz. Chamava-se a isso de dinheiro encantado. Desencantá-lo era como receber uma herança, ganhar no jogo do bicho ou acertar na loteria. Daí sonhar-se com a aparição das almas penadas, como salvação dos mortos sovinas e dos vivos gananciosos. E esses eram os melhores e os piores sonhos deste lugar. Porque nunca tinham um final feliz. Quando os sonhadores, depois de tatear no escuro, guiados pela aparição, finalmente chegavam ao local do dinheiro enterrado, o dia clareava. E aí apareciam os cangaceiros do inferno, no seu tropel satânico, para afugentá-los. Acordavam maldizendo a oportunidade perdida. Mas contando uma história de arrepiar.

Depois passou-se a sonhar com o Sul, as terras ricas de São Paulo-Paraná. Os que voltavam traziam novas histórias. Contavam as aventuras de uma cidade com mais de trinta léguas de ruas. Onde, durante o dia, um ajudante de pedreiro se besuntava na massa e na cal preparando o reboco para os edifícios em construção e, à noite, se lavava todo, se perfumava e se vestia igual a um doutor — para tanto o dinheiro dava. Outros iam mais longe, até um tal de Paraguai, atravessando nuvens de mosquitos e fronteiras perigosas. Heroicos mesmo eram os relatos dos que diziam ter conseguido fugir de fazendas em que trabalharam como escravos, sempre devendo mais do que ganhavam ao armazém dos proprietários. Fugiam pulando cercas intransponíveis e atravessando rios largos e profundos, deixando para trás o som das balas e o latido dos cães. Caminhavam dias e noites por selvas impenetráveis, escapando de inimigos tão ferozes quanto os que vinham nos seus calcanhares: cobras capazes de engolir um boi e bichos nunca dantes vistos ou imaginados. E chegavam sãos e salvos a algum lugar, sabe-se lá o milagre. E nem quais as artes do destino que os faziam voltar aqui, vivinhos da Silva, cheios de dentes de ouro e muitas novidades, da cabeça aos pés. Eram admiráveis em seus linguajares, modos e vestes. Um desses homens apareceu num dia de feira, dia de praça atulhada. Chegou anunciando o maior espetáculo da Terra: o cinema. Por uns parcos trocados, cada um poderia apreciá-lo, façam fila, por favor. O povaréu se agitou, às cotoveladas, embora não faltassem os desconfiados, os que viram nele a antecipação do Anticristo. Porque ele tinha uma conversa muito esquisita, por baixo de um chapéu de abas largas cheias de estrelinhas e metido numas botas pra lá de escalafobéticas. Cinema, espetáculo, imagens que você nunca viu nem sonhou, ora vejam só. Presepadas. Bobagens. Os que entraram na fila não tiveram de que reclamar. Melhor: quase caíram de costas, tão grande foi o deslumbramento com o tal do cinema, que se resumia a uma maquineta precária, um invento rudimentar, menor do que uns óculos de alcance, outra novidade já apresentada à praça por outros viajantes, também numa feira alvoroçada. O homem viajado e portador do objeto mágico, cuspidor de palavras persuasivas como um exímio propagandista de remédio para unha encravada e dor de dente, ajeitava os visores da sua engenhoca fantástica aos olhos dos espectadores e passava a mover uma minúscula manivela, para mudar as imagens, que por sua vez se resumiam a uns já surrados *slides* de São Paulo — o Viaduto do Chá, o edifício do Banco do Estado, a Praça dos Correios, o monumento do Ipiranga, ruas e avenidas espetaculares. E do Rio de Janeiro: o Cristo Redentor, o Pão de Açúcar, Copacabana, o mar, o mar — eta marzão pai-d'égua — e mulheres lindas, estonteantes, maravilhosas... de maiô! E essas eram mesmo de desmaiar. Com que então existia um mundo assim, lá longe, como esse deslumbrante Brasil de cinema? Isso era demais para os olhos de quem nunca havia mirado mais do que uns pés de grota, umas baixadas, uns tabuleiros e mulheres que mal descobriam os rostos e as pernas, ainda assim a mais de um palmo abaixo dos joelhos. Enquanto isso o homem do cinematógrafo de bolso fez a feira. Faturou os seus trocados e caiu fora, para bater em outra freguesia, deixando para trás o seu rastro de sonho. Antes que chegasse o cinema de verdade, o que nunca chegou a estas bandas, até hoje, diga-se.

Velho Junco. Onde andará o padre que trouxe as quermesses, os leilões e a festa dos vaqueiros? Ele tinha mesmo um coração de festa, por trás de sua solene missa em latim, do seu vinho canônico, da sua insípida hóstia, do seu rigoroso confessionário, dos seus enérgicos sermões. No púlpito, era um pregador implacável. Reduzia o mundo a pó e os homens a fagulhas de seus próprios pecados. Depois da missa, porém, se transformava num ser gregário e era a alegria dessa terra. Fazia-nos crentes de que estávamos nos divertindo e de que viver não era só pagar penitência. Ele morava a sete léguas de distância, na sede do município. Vinha uma vez por mês. E quando ia embora tudo por aqui ficava triste. Agora, tristeza mesmo foi no dia em que ele não voltou, conforme o previsto e anunciado pelas zeladoras da igreja. Pensou-se em doença ou morte. Depois chegou a verdadeira notícia, no lombo do cavalo que o trazia e o levava: o padre havia endoidecido por causa de uma beata, largara a batina, sumindo no mundo, agarrado às saias da pecadora. E assim este devoto povoado iria ficar muito tempo sem missa, sermões, batizados, casamentos, festa. Sem Deus. E engolindo um escândalo sagrado. Rezando. De joelhos. Pela boa alma do padre e pelo seu divino coração de festa. Foi aí que começaram a aparecer as mulas de padre, as temíveis mulas sem cabeça — irmãs dos lobisomens —, assombrando as nossas já tão assombradas noites.

Assombração de matar de medo e terror, capaz de tirar o sono, porém, foi quando apareceu o primeiro caminhão. Historiadores d'antanho, cuja autenticidade jamais foi questionada pela posteridade, registraram o acontecido da seguinte maneira:

Era uma noite igual às outras de mais um verão escaldante. Tempo de seca. Pastos estorricando. Água acabando. Gado morrendo. Povo rezando em procissão, ralando os joelhos até sangrar, no pedregulho da ladeira do Cruzeiro da Piedade, clamando aos céus para mandar chuva. E de repente, naquela noite, o céu escurece, se enche de nuvens prometedoras: as promessas divinas da esperança. Deus ouviu as nossas preces. Vai chover. As nuvens vão se tornando cada vez mais escuras e pesadas. O céu está um breu. O povo espera, religiosamente, pelo milagre: chuva. Muita chuva. Surge um relâmpago, seguido de um trovão. Sinais de que as preces não foram em vão. E eis que, aos olhos de todos, cai um raio sobre a Ladeira Grande. O raio se transforma em dois olhos acesos, infinitamente maiores do que os de um vaga-lume. E esses dois olhos acesos, enormes, gigantescos, se movimentam, descendo a ladeira, para daí a pouco revelarem um estranho objeto que andava sobre rodas, produzindo uma música, que só muito mais tarde se iria saber que saía de uma buzina. E essa estranha coisa que muito tempo depois ia ser conhecida como buzina tocava uma reza, um velhíssimo bendito da igreja de todos: "Louvando a Maria/o povo fiel..." E quando o objeto não identificado adentrou a rua do Tanque Velho e roncou e buzinou em direção à praça, o povo correu e se trancou em suas casas, escondeu-se atrás dos santos e, até, debaixo das camas, de crucifixo em punho. De acordo com os relatos dos mesmos cronistas da época (fins da década de quarenta, do século XX), só houve um homem neste lugar, um único homem, a esperar o estranho objeto, para dar-lhe as boas-vindas. Um doido chamado Alcino. Um que ficou doido, diziam todos, por causa do popular vício solitário. E que só tinha um único temor neste mundo — dos suicidas. Tanto que, quando corria a notícia de que alguém havia se matado, ele ia para a calçada da igreja e, a plenos pulmões, atazanava o juízo do lugar: "Mais um condenado foi para o inferno. Mirem-se, condenados." Por mais que se tentasse, ninguém conseguia calar a boca do maluco. Porém daquela vez foi o desprezado e tantas vezes temido maluco quem teve a coragem de enfrentar, sozinho, o enviado do relâmpago, o filho do raio, o mensageiro do trovão, com seus dois olhos de vaga-lume gigante e o ronco de um deus em fúria. Ou do Anticristo. E quando o caminhão parou no meio da praça, o doido Alcino correu para ele. O motorista deixou os faróis acesos por algum tempo, pois percebeu que o lugar não tinha luz. Desceu e cumprimentou o seu anfitrião com entusiasmo:

— Olá. Ora viva. Boa noite.

— Noite — disse o doido.

O motorista saltou da cabine com uma lanterna na mão.

— Não atire. Pelo amor de Deus, não faça isso.

O motorista riu da cara de espanto do doido e disse:

— Calma, homem. Isso é só para eu enxergar você. Eu sou de paz. Que lugar escuro, hein? Como se chama?

— Boitatá — disse o doido.

— Só você mora aqui? Todo mundo já morreu?

Alcino respondeu doidamente:

— A noite é grande e cabe todos nós. Os vivos e os mortos.

O motorista iluminou o homem à sua frente, dos pés à cabeça, assustando-se com os seus trajes andrajosos, maltrapilhos. Depois apontou a lanterna para a praça, de casa em casa, a igreja, o mercado, as árvores, a venda, o armarinho, a loja de tecidos, a botica, o cruzeiro no meio da praça, tudo deserto e às escuras.

— Onde estão os outros? Só você mora aqui?

O doido:

— Povo tem medo. Boitatá.

O motorista:

— Peguei um atalho pra encurtar caminho. Mas me perdi. Vou pra Propriá, no estado de Sergipe. Tem estrada pra lá?

O doido:

— Boitatá, boitatá.

O motorista:
— Você está bêbado?
O doido:
— Eu, doido. Você, facho. Boitatá.
O motorista:
— Doido sou eu, que vim parar neste lugar.
O doido:
— Sergipe só tem ladrão de cavalo. Mas me leva pra lá. Quero ser boitatá.
O motorista:
— Que diabo é boitatá?
O doido, apontando para os faróis do caminhão:
— Boitatá. Boitatá. Boitatá.
O motorista:
— Boa noite. Passar bem.

Voltou para a cabine, desligou os faróis, trancou a porta e adormeceu, dizendo entre os dentes: "Que lugar mais doido."

No dia seguinte o doido Alcino voltou à calçada da igreja. Não para fazer um sermão contra os suicidas (que sempre existiram por aqui, desde quando ele não era nem gente, nem doido) e encher de terror os corações sobressaltados. Desta vez foi para cantar, em louvor ao objeto que acendia os olhos na noite mais do que os vaga-lumes. Sua canção começava assim:

— "Teus olhos, são duas contas pequeninas..."

Segundo os já mencionados historiadores d'antanho, jamais questionados, mais tarde a canção do doido Alcino se tornaria um sucesso nacional, embora o país inteiro — por ser grande demais, doidão e desmemoriado — desconheça a sua fonte de inspiração e o seu verdadeiro autor.

Mais desvairado do que o doido Alcino quem ficou foi o lugar, diziam os mais antigos, os que sobreviveram para contar a história. Os que foram meninos naquele tempo e corriam pelas ruas movendo os braços e as mãos como se dirigissem um caminhão. Pi-pi. Fon-fon. E porque viviam correndo, roncando e buzinando, acelerando e freando, fazendo curvas e rés, passaram a ser chamados de Bufa-Gasolina. Bufando para o apelido, continuavam roncando e buzinando. Feito uns loucos. E depois iam descarregar as suas cargas no armazém traseiro da jega Mimosa, para quem faziam juras de amor e prometiam um pasto de rosas, em encontros fortuitos nos barrancos enluarados, sob um céu salpicado de estrelas. Bufando, roncando, cantando um bolero:

— "Amor, amor, amor/Nasceu de mim, nasceu de ti, da esperança..."

Numa terra em que os homens tinham de viver vinte anos para pegar na mão de uma mulher, eles estavam condenados às jegas, como os suicidas ao inferno, no dizer apocalíptico do doido. Ah, as jegas! As que não usavam saias nem calcinhas e nem precisavam abrir as pernas. Era só encostar. E ver e ouvir estrelas.

A memória do velho povo só não guardou um acontecido. Se os galos cantaram fora de hora no dia em que o primeiro caminhão foi embora, levando a primeira moça dessa terra a se aventurar no mundo, sozinha, deixando os seus pais desesperados e os rapazes chupando os dedos. Ela iria voltar mais tarde, falando bonito e cheia de modas encantadoras. Era a civilização em pessoa. E a civilização tinha unhas e boca pintadas, usava saias curtas, sem vergonha de mostrar as pernas até acima dos joelhos. Pernas lisinhas, raspadinhas, lindas, sem um só fio de cabelo, assim como as axilas, escancaradas despudoradamente, tanto quanto os seus ombros e as

covinhas dos seus seios. Um escândalo. Imaginávamos os seus pelos púbicos também raspadinhos — e alucinávamos. E ela chegou trazendo presentes e mais presentes, que esparramava sobre as camas de velhas parentes recatadas, um cala-boca, quem sabe, ou os bônus de sua ousadia mal-afamada. Ao partir, deixou atrás de si o rastro do seu perfume e a inspiração para meninas acanhadas que logo passaram a querer imitá-la, ainda que tendo de escutar impropérios e esbravajamentos por parte dos pais:
— Te esconjuro, peste!
Os rapazes do lugar aceitaram a peste como uma bênção, enquanto, mais e mais, corriam para as jegas, às quais agora prometiam batom, frascos de cheiro, latas de talco. Perfume e maquilagem.

Sempre houve o primeiro isso, o primeiro aquilo.
O primeiro professor, que usava uma palmatória sob medida para um torturador e com o seu poderoso instrumento esfolava as mãos dos meninos que tinham dificuldades para aprender as lições. Ainda ontem minha mãe se lembrou dele. É verdade: já estive com a velha, no meio do caminho de Salvador da Bahia para cá. Ela não está maluca, nem internada num hospital para doentes mentais. Que bom que ela não ficou aluada. Para quem não se lembra: minha última boa ação nessa terra, antes de ir para São Paulo, foi transportar minha mãe numa viagem de quinze léguas, noite adentro, à procura de um remédio para o seu juízo. Foi no dia em que ela voltou aqui, vindo de uma cidade chamada Feira de Santana — a princesinha do sertão! —, onde estava morando, para encontrar o seu primogênito, o seu inesquecível primeiro filho, que acabava de enfiar o pescoço numa corda, partindo desta para uma outra, quem

sabe, melhor. Mamãe entrou em estado de choque. Começou a se bater nas paredes e a dizer coisas incompreensíveis. Aqui mesmo, nesta sala onde me encontro agora. A sua voz ainda ressoa nos meus ouvidos: "Nelo meu filho mandou me dizer/ Nelo meu filho mandou me dizer/Nelo meu filho mandou me dizer..." Nelo, seu filho, já não podia dizer mais nada. Nunca mais ia mandar dizer nada. Muito menos lhe mandar dinheiro, todo mês, pelo correio. Para ela o sonho havia acabado. E, naquela noite, eu pensava que mamãe estava fazendo uma viagem sem volta. Por toda a estrada parecia mesmo ter perdido o juízo, para sempre. Foi uma surpresa, uma grata surpresa, reencontrá-la boa das ideias, quer dizer, normal, normalíssima. No dia em que me telefonou, mais derretida do que manteiga de garrafa, minha irmã Noêmia me disse que a velha estava viva, sã e forte e que ainda era capaz de enfiar a linha no buraco de uma agulha. Sem óculos! "Quer melhor prova de que ela está boinha?" Uma coisa é ouvir dizer, a mais de dois mil quilômetros de distância. Outra coisa é ver de perto, ali, frente a frente, cara a cara. E eu vi: mamãe não está louca. Mas já esteve. Isso também eu vi. Não lhe perguntei qual foi o remédio ou milagre. Mora sozinha, numa casa simples, modesta, mas bem arrumadinha e ensolarada, com uma varandinha nos fundos, dando para um quintal arborizado, cheio de flores. Ela me atulhou de comida — cuscuz de milho, cuscuz de tapioca, umbuzada, batata-doce, goiabada —, e eu que não lhe fizesse a desfeita de rejeitar. Prove isso, prove aquilo. "Coma, menino. Vamos. Você não está comendo nada." E tome feijão--mulatinho, feijão-de-corda, farinha, arroz, quiabo, maxixe, carne assada, frango ao molho pardo... E eu comendo e ela achando que ainda era pouco. Será que mamãe pensava que eu estava voltando de uma guerra, morto de fome? "Menino sem juízo. Por que você demorou tanto para vir me ver?" Dormi em sua casa, depois de conversarmos muito, até eu cair de sono. Foi aí que fiquei sabendo que ela está aposentada, recebendo um salário mínimo. Com essa pequena fortuna dá para viver? Ainda costura e tem uma boa clientela, o que significa que não depende só da aposentadoria. Além disso, um de meus irmãos, que mora ali por perto e tem um pequeno comércio — uma barraca na feira —, sempre lhe traz uma sacola de alimentos, toda semana. E o melhor: ela entrou para uma igreja messiânica, onde as pessoas sempre se ajudam. "Fiz muitas amigas lá." Meu Deus! Mamãe não está louca mas virou uma messiânica. Se isso lhe faz bem, que fazer? Para mim, porém, sua maior prova de sanidade foi quando elogiou o meu pai, do qual está separada desde a morte do seu amado, idolatrado, salve, salve, primogênito.

— Seu pai, Totonhim, é um homem muito forte. Tem muito mais saúde do que eu. Pena que viva se desgraçando na cachaça. Mas, pensando bem, vai ver a cachaça conserva. Só pode ser isso. Não lhe queira mal por beber tanto. Ele é um bom homem, uma boa criatura. Bêbado ou não, é o seu pai.

Perguntei por que haviam se separado. Foi então que ela me contou um longa história, da sua luta para botar os meninos para estudar — "você se lembra, não se lembra?" E papai, a seu ver, naquele atraso de roceiro que só sabia arar a terra, plantar e colher, sempre dizendo que escola não enchia barriga de ninguém. Tinha sido aí que haviam começado os conflitos, os desentendimentos, as discussões, as brigas. "Mas, se não fosse isso, você hoje não era um homem instruído", ela disse. E contou como aprendeu a ler e a escrever.

— Naquele tempo meu pai não deixava as suas filhas mais velhas irem para a escola. Dizia que mulher tinha era que ficar em casa, ajudando a mãe, e de casa só saía para casar. Ainda assim encontrei um jeito de estudar, escondida dele. Foi quando o professor fez uma plantação de fumo em um de nossos pastos, a meias com o seu avô. Aí eu fiz um trato com ele. À noite, quando todo mundo estivesse dormindo, eu ia capar o fumo, trabalhando na plantação sem que ninguém visse. Em troca, ele me ensinava a ler e a escrever. Eu lhe pedi isso olhando firme nos seus olhos e vi que eles se encheram de lágrimas. O professor riu encabulado e disse: "Menina, eu te ensino de graça. Você não precisa fazer esse sacrifício." Mas eu cumpri a minha palavra. Trabalhei noites a fio, às vezes com a ajuda de um candeeiro, nas noites sem lua. Não foram poucas as madrugadas em que tomei banho no tanque, lá no meio do pasto, me escondendo na frente do paredão, para não ser vista. Fazia isso para tirar o fedor das folhas do fumo. Depois, ao chegar em casa, jogava a roupa numa bacia d'água. Foi só assim, Totonhim, que me livrei de ser mais uma analfabeta. Por isso é que a maior alegria da minha vida é ter feito tudo o que pude para que todos os meus filhos e filhas tivessem instrução. É o maior bem do mundo. Outra alegria foi quando deram o nome de uma rua ao professor Lau. Sim, o nome dele era Laudelino Teixeira, você se lembra? Meu pai tinha muito mais posses do que ele, que viveu e morreu como um homem pobre. O meu pai era muito mais importante, de acordo com a situação do lugar. Mas ele é nome de rua? O professor Lau merece ser nome de praça até no céu. Sim, ele batia muito nos meninos. Não tinha paciência com os mais atrasados. Eram coisas daquele tempo, menino. Os pais e as mães também batiam muito nos filhos. Eu não bati muito em vocês? E também apanhei muito. Era o tempo, meu filho. O tempo. Hoje está tudo mudado. Nem por isso acho que naquele tempo tudo era ruim. Se fosse, eu não estava aqui, viva, e ainda capaz de enfiar a linha no buraco de uma agulha.

— Sem óculos.
— Como você sabe?
— Já me disseram.
— Quer ver, pra crer?

E ela pegou uma agulha e uma linha e fez a demonstração, revelando também uma impressionante firmeza nos dedos e nas mãos. Nada mau para quem já tinha consumido setenta e cinco anos de vida.

Que bom, mamãe está ótima. Na despedida, passei-lhe um dinheirinho, o que sempre faz bem à saúde. Pouca coisa: o equivalente a três salários mínimos. Três vezes o que recebia como aposentada. Uma mixaria vezes três. Sou assalariado, vivo no aperto, cheio de contas no fim, no começo e no meio do mês. Por isso não lhe dei mais, como gostaria. Ela recebeu o dinheiro com agrado. Notei que, embora modestamente, vive com algum conforto. Tem lá sua TV, o seu fogão a gás, a sua geladeira, os móveis necessários. Não parece uma pessoa em dificuldade. Só espero que ela não repasse o meu presente às mãos de um pastor inescrupuloso. Que o guarde para uma emergência. Ou compre um vestido novo. Depois de dizer um clássico "Deus que lhe ajude, Deus que lhe dê muito" — dinheiro é amor? —, perguntou se eu viria vê-la, na volta.

— Mas é claro. E lhe trarei feijão, farinha e rapadura. Da nossa terra.

E ela:

— Não esqueça de dar uns conselhos a seu pai, para ele parar de beber e fumar.

Ah!

O professor foi o primeiro homem bom. Pelo menos para a minha mãe. E mamãe também foi a primeira em alguma coisa. A primeira mulher do seu tempo a aprender a ler e escrever. A primeira, contra tudo e todos, a se arrancar no mundo em busca da sua sonhada instrução — para os filhos. E foi ainda a primeira mãe deste lugar a ficar louca e depois recuperar o juízo, numa mágica que jamais seremos capazes de compreender. E como será que ela via o mundo e todos nós, enquanto esteve no "outro lado"? Isso eu não lhe perguntei. E nem saberia como perguntar.

E se a primeira puta, a nossa primeira visão do paraíso — um luxo decotado, depilado e cheirando a alfazema —, arrebatou o coração dos homens e conquistou uma legião de admiradoras, o mesmo destino não seria reservado ao primeiro viado, um sacristão que sabia toda a missa de cor — em latim! Ele foi atraído para uma emboscada, numa noite escura não apenas no céu e nas ruas, mas principalmente na alma dos seus curradores. O chefe da gangue foi um certo Pedro Infante, proprietário de um armazém e de umas boas tarefas de terra, as quais visitava a cavalo, segurando as rédeas numa das mãos e um guarda-sol na outra, vestido sempre com camisas de mangas compridas, com a gola levantada, para não queimar o pescoço e os braços ao sol. Era um homem muito branco que por nada nesse mundo queria perder a sua alvura. Claro que um sujeito tão resguardado e esquisito assim levantava suspeitas. E foi esse malfalado cavalheiro quem instigou um audaz rapazote, esfregando-lhe na cara e enfiando-lhe no bolso uma boa quantidade de notas roubadas da caixa da venda, que naquele tempo era do seu pai. Comprou-o por trinta dinheiros. Para que ele marcasse um encontro com o viado, na calçada da igreja, quando todas as luzes já estivessem apagadas e todas as consciências repousassem na paz de seus travesseiros. Era uma combinação em segredo. Ninguém, além dos participantes da trama, podia ficar sabendo.

Envolvido numa armadilha, o viado apanhou sem dó nem piedade de todo o batalhão arregimentado por Pedro Infante, que apareceu de repente, como que por encanto, quando o coitado do sacristão já havia arriado as calças. No dia seguinte, não se falava de outra coisa, cada um acrescentando um detalhe ainda mais escabroso do que os já contados. Ao injuriado sacristão só restou passar pomada nas feridas, encher-se de brios e ir embora. Para nunca mais voltar.

Agora, aqui nesta janela, olho lá pra baixo e vejo a venda de Pedro Infante. Fechada. Ele já morreu, meu pai me disse, de uma doença estranha, que o deixou sem um só fio de cabelo na cabeça. E tão magro que mais parecia um palito de fósforo. Quer dizer: a estas horas, tanto pode estar descansando em paz no eterno Além como sendo currado pela gangue de Satanás. Ao som de uma missa cantada, em latim. Quem mandou sacanear um sacristão?

— Perdoai-nos, Senhor, nossa maldade, Senhor...

O primeiro homem triste.

Foi um que voltou com a doença do mundo. Falava-se disso longe das crianças, sempre expulsas da sala, quando os adultos conversavam.

Mas esses mesmos adultos esqueciam os seus assuntos reservados na hora de nos empurrar para a venda, para comprar um quilo de açúcar, um litro de sal, uma caixa de fósforos. E na venda ninguém interrompia a conversa por causa da chegada de um menino.

Logo, não demorou muito para que eu ficasse sabendo do que se tratava. O homem com a doença do mundo sofria horrores ao ter vontade, digamos, de verter água. Sofria dores terríveis e fazia caretas apavorantes. O sofrimento dos sofrimentos. O castigo de Deus para uma desajuizada vida de prazeres — da carne. Isso em plena era da penicilina, da qual o pobre homem não tinha tido notícia. Nem havia conhecido ninguém mais informado para lhe recomendar uma ida a um médico ou a um farmacêutico — comentava-se. E eu me perguntava por que não diziam essas coisas a ele, em vez de ficarem só nos comentários. Enquanto isso, o homem com a doença do mundo se encharcava de chás de quebra-pedra, um santo remédio para os rins, no entender de todos. O que só lhe aumentava a aflição, pois cada vez mais tinha vontade de mijar. O seu mal, na verdade, tinha um nome mais preciso: doença venérea. Os da venda sabiam o que isso era. Uma doença que dá íngua, incha os ovos e faz o seu portador urinar sangue e pus. Se não se tratar, ele pode até chegar ao ponto de não poder mais fazer xixi. E dói pra burro, é insuportável. Ouvi tudo e saí calado, pensando no padecimento desse desafortunado homem com a doença do mundo. E de repente o vejo, à distância, andando monotonamente, cabisbaixo, tristonho. Desiludido. Eu ia na sua direção, preparando todo um discurso, um imenso sermão para dizer-lhe. Tudo aquilo que os adultos deveriam ter-lhe dito e não disseram, sabe-se lá por quê. "Vá a um médico. Pelo amor de Deus, faça isso. Daqui a sete léguas tem um. Dá para ir e voltar no mesmo dia. Se o senhor não consegue ir sozinho, peça a alguém para lhe levar. Quer que eu vá com o senhor? É só pedir a papai para deixar eu ir. Ele vai entender que é uma obra de caridade. Não fique parado assim, morrendo assim, sofrendo do jeito que o senhor está sofrendo, sem fazer nada, sem tomar uma providência. Eu lhe levo ao médico, se é só companhia o que o senhor precisa. Ou o senhor está mesmo querendo morrer? Que desilusão é essa? Por quê? Pra quê?" O diabo foi a falta de coragem de passar do pensamento à ação. Pois, quando cruzei com ele, mal consegui resmungar: "Bom dia." E ele: "Dia." Num tom tão desanimado que não me encorajou a continuar falando. Olhei-o de soslaio, temeroso, intimidado. Pois não é que me achava ali, lado a lado com o homem com a doença do mundo? E ele era mesmo um sujeito de pele empapuçada, todo inchado, lamentável. E, pelo visto, de poucas palavras. Vai ver, não tinha tempo a perder com uma criança — só devia ter pensamentos para o seu próprio tormento: a hora em que sentisse vontade de urinar. As dores. As suas caretas. O horror. Segui em frente maldizendo a minha covardia. Podia ter insistido, dito tudo o que havia ensaiado mentalmente. E me oferecido para acompanhá-lo a um médico. Por outro lado, tentava imaginar como fora a sua vida de pândegas. Bordéis. Mulheres. Farras. Uma vida animada, tão diferente da nossa — era o que comentavam na venda. Eta vida boa. Por que aquele homem teria que se arrepender disso? Ora, era só se curar. Não havia um remédio?

O certo é que ele se deixou morrer, lentamente. E depois do seu enterro meu pai me disse:

— O mundo está cheio de doenças. Cuidado, meu filho, muito cuidado com as doenças do mundo.

Depois acendeu um cigarro de palha, que fez com calma e esmero, baforou e ficou vendo o sol se pôr. Quem sabe pensando que o sol estava indo para outro mundo, um mundo que desafiava a sua imaginação.

Naquela hora tudo o que eu queria era adivinhar os seus pensamentos. Como se percebesse isso, ele se virou para mim e cunhou na minha testa a sua frase indelével, lapidar:

— Se há uma coisa neste mundo que não me conformo é com a morte. — E acrescentou: — Ninguém merece morrer. Principalmente quem gosta da vida.

Imagine o que foi ouvir isso de quem acabava de fazer mais um caixão e ainda teve forças para ajudar a levá-lo até a cova, lá na frente, segurando em uma de suas alças, puxando o cortejo, como em tantas outras vezes. E se ele, que já tinha perdido a conta de quantos anjinhos e pecadores havia embalado para a última viagem, não se conformava com a morte, o que diria eu? Logo eu, o que vivia rogando a todos os santos para me socorrerem, afastando das minhas vistas as perturbadoras imagens dos caixõezinhos azuis e dos caixõezões pretos, que tanto me faziam perder o sono? Por mais que o meu pai filosofasse enquanto pitava o seu pensativo cigarro, não ia aliviar o meu medo da noite, quando todos os caixões, de todas as cores e tamanhos, iriam desfilar diante dos meus olhos, mesmo que eu rezasse, rezasse, rezasse, tentando dormir. Nem a morte ia deixar de correr solta por aqui, impunemente, malvada com as mulheres no parto e as criancinhas recém-nascidas. Com suas artes demoníacas, pendurava a corda e fazia o laço para o pescoço dos enforcados. Botava o maldito copo na mão dos envenenados. Empurrava no tanque os afogados. A morte era uma parente chata. E inevitável. Má como a peste, feia como a mãe da necessidade — e que nunca desgrudava da gente. Não havia vassoura atrás da porta que fizesse a indesejada visita sair de nossas vidas.

— Hoje não se morre mais!

Pronto. Agora temos o prazer de apresentar, orgulhosamente, o primeiro homem alegre. O senhor dos caixões. O que parece já ter enterrado todas as suas tristezas. Com vocês, o meu pai. Papai. O velho.

Faz muito tempo que não vejo ninguém assim, rindo de orelha a orelha, sem nenhum sinal exterior de tensão, acabrunhamento, aporrinhação, estresse. Como se me dissesse: não vi o homem ir à Lua, nunca acompanhei um Campeonato

Mundial de Futebol pela televisão — e por isso não vi o Brasil ser campeão do mundo nenhuma vez —, não leio os jornais, só soube das guerras assim por alto, cada qual acrescentando um ponto ao seu conto, já não tenho mulher pra me aporrinhar o juízo, nem filho pra me preocupar, durmo com os galos e acordo com as galinhas e, quando a vontade de uma boa prosa aperta, converso com os mortos. Sou um aposentado como trabalhador rural, recebendo um salário mínimo por mês, a mesma coisa que sua mãe recebe. O que dá para comprar sal, açúcar, cigarro e fósforos. O resto eu tiro da terra. Planto, colho e como. Feijão, aipim, milho, batata-doce, banana, mamão, caju. É só cair uma chuvinha que eu planto. E o que eu planto sempre dá. Vivo sozinho e muito bem acompanhado. Se quiser, pode me chamar de louco ou selvagem, que pouco estou ligando. Mas faça o favor de acrescentar: um louco bem-comportado. Um bom selvagem.

Quem sabe o último?

Grande pai. Eu aqui na janela e ele lá na cozinha, preparando um rango. Um homem que sabe cozinhar é senhor do seu destino. Segundo todos os depoimentos familiares, ele já bebeu além da conta. Mas ainda não estourou o fígado. Nem nunca pegou uma doença do mundo. Ele, sim, é quem tem histórias. Só espero que tenha vontade de contá-las. E que eu tenha paciência para ouvi-las. Afinal, venho de uma cidade onde ninguém tem tempo a perder com uma história que não possa ser resumida assim:

— Oi, tudo bem?
— Tudo bem.
Ou:

— E aí, como vão as coisas?
Se você começa a explicar, o outro diz:
— Depois a gente se fala. Liga pra mim, tá?
De onde eu venho costuma-se contar a seguinte piada:
— Ao cumprimentar um português, nunca pergunte como ele vai. Senão o gajo explica.

Aqui, neste mundo de roceiros, a conversa é longa e demorada, como a dos portugueses, dos quais nem sabem quem sejam ou onde ficam. Nem que um dia um bom contingente deles aportou no Brasil, trazendo a sua fala e os seus costumes. E uma certa vaguidão. Aqui só se sabe do sol e da lua, da noite e do dia, da chuva e da seca. E dos que se foram. Para São Paulo.

São Paulo-Paraná.

Melhor dizendo, eu não venho. Volto de um mundo cheio de pressa. O tempo aqui sempre passou devagar. Assim era. Ainda será?

Tudo o que sei, até agora, é que a viagem já me rendeu alguns bons dividendos. Já vi que a minha mãe não está louca, meu pai está cheio de vida, lépido e fagueiro, e ainda canta como um passarinho. E sabe cozinhar! E o lugar continua vivo e ainda aqui, com suas casinhas coladas umas às outras, todas pintadas, paredes brancas, portas e janelas azuis, paredes amarelas, paredes cor-de-rosa, telhados rebatendo os raios do sol, refrescando a morada do seu povo. Antenas em cima dos telhados. Parabólicas. Se meu avô fosse vivo, também estaria antenado assim?

De vez em quando desce um carro na Ladeira Grande, onde um dia apareceu o primeiro caminhão, que na verdade não foi atingido pelo raio que caiu no momento em que ele chegava, senão, não teria chegado. Ladeira Grande: quantos você já viu passar? Quantos se foram? Quantos voltaram? Quem voltava tinha a obrigação de contar vantagens, trazer as modas, embasbacar os que ficaram, como era o dever e responsabilidade de um aventuroso bem-aventurado.

Com meu irmão Nelo foi assim, eu me lembro.
Aquele seu terno de casimira, aqueles seus sapatos de duas cores, os dentes de ouro, o relógio que brilhava mais do que a luz do dia e o seu rádio de pilha, faladorzinho como um corno, confirmavam as nossas melhores expectativas. Eia, sus, finalmente! Cá estava um monumento, em carne e osso. O nosso grande homem.
— Olha só quem chegou.
— O bom filho à casa torna.
— Não se esqueça que eu carreguei você no meu ombro.
— Quero ver a cor do seu dinheiro. Me dê uma prata, pra eu tomar uma.
E assim ele foi abraçado, agarrado, festejado e arrastado de bar em bar, de casa em casa. Parecia a chegada de Santo Antônio, São João ou São Pedro. Ou dos três juntos. Com direito a fogueira, foguetes, fósforos de cor. Mas quando começaram a pedir para ele pagar outra rodada, e mais uma, mais outra, e a querer ver a sua mala — que imaginavam forrada a ouro e prata —, ele não suportou. Mais insuportável ainda foi o que fez. O seu fim. Alguém se lembra?

Agora sou eu o que volta, sem festa nem foguetório. Pelo tempo em que estou à janela e pela rapidez com que as notícias correm neste lugar, já era para ter sido notado. Mas ninguém apareceu ainda para os rapapés de antigamente. Vai ver o ir e vir se tornou tão banal que já não impressiona a pessoa alguma. São Paulo virou um caminho de roça. O mundo ficou pequeno. Viajar já não é mais uma aventura emocionante.

Saía-se daqui a cavalo ou a pé até o Inhambupe, a sete léguas de chão batido nos cascos. Em Inhambupe, esperava-se à beira da estrada por um transporte motorizado qualquer para Alagoinhas. Mais oito léguas. Dormia-se na estação de Alagoinhas, à espera do trem de Aracaju ou o de Juazeiro para Salvador, a capital do estado. Mais umas dezoito ou vinte léguas. E todas essas esperas e baldeações eram só os preparativos, as vésperas da grande viagem, que começava mesmo em Salvador, que o velho povo chamava de cidade da Bahia. A grande viagem levava sete dias e sete noites, num trem que descarrilhava sempre num lugar chamado Monte Azul, lá pelos ermos das Minas Gerais, no meio do caminho. Sobreviver ao descarrilhamento era o melhor da viagem.

Fui de ônibus, direto, em menos de dois dias. Voltei de avião até Salvador, em pouco mais de duas horas. Mana Noêmia estava no aeroporto, à minha espera, com um dos seus filhos, que só não me trouxe até aqui de carro, em três ou quatro horas, porque tinha uma prova na universidade, ontem à tarde, e hoje teria outra. Almocei na casa da irmãzona Noêmia — e dava para recusar? —, tendo de me levantar da mesa a todo instante para atender o telefone. Ouvi, em poucos minutos, as vozes do meu velho mundo, prometendo a mais da metade de meus irmãos e irmãs, moradores da capital da Bahia, que eu os encontraria, no regresso do interior. Depois meu sobrinho me levou a uma agência de automóveis, onde aluguei um, que hora e meia depois me deixava na porta da minha mãe. Hoje cedo não precisei de muito mais de duas horas para chegar aqui.

E ninguém, até este momento, se interessou pela minha chegada. Pode ser que agora a história seja outra. Qual será?

O primeiro assalto

— Totonhim!

A voz vem de longe, do fundo do tempo. Não, não é o chamado de um fantasma a levantar a poeira de móveis carcomidos, numa casa entregue às teias de aranha e às lagartixas que preguiçosamente repousam nas suas paredes — e que já nem deve se lembrar mais de seus domingos ancestrais. É uma voz de sonho. Eu sempre sonhei que estava voltando aqui, num dia de festa. Meu avô se desmanchava em sorrisos, numa incontida, eloquente e sincera expressão de alegria, o que me surpreendia, pois era um homem sóbrio, religiosamente comedido, de pouca ou nenhuma expansividade, principalmente em relação aos da sua família. Devia ser um engano. Ele podia estar me confundindo com o seu primeiro neto, o meu irmão mais velho, o que, tal qual um Dom Sebastião das caatingas, um dia ia voltar, para a felicidade maior do seu avô, que no entanto não viveu o bastante para ver esse dia chegar. A dúvida se transformava em certeza quando ele me chamava para fazer o laço e dar o nó na sua gravata, incumbência reservada com exclusividade ao lendário Nelo, sob os olhares embevecidos de uma mãe que entendia a preferência pelo seu primogênito como uma entronização no altar de Deus. Que neto inteligente! Que filho abençoado!

Mas no sonho era por mim que o meu avô estava chamando:

— Totonhim!

Ele me mandava à venda para comprar pão de milho, pão de água e sal e bolacha.

— Muita bolacha que a casa hoje está é cheia.

Meu pai aproveitava para pedir que eu trouxesse um pacote de fósforos.

Eu partia a galope, porque também estava com fome. E nunca conseguia voltar com as encomendas. No caminho, mal deixava a venda, era assaltado por um moleque da rua, muito mais esperto e sabido do que eu, um capiau sem malícia, um tabaréu desprevenido, um indefeso menino da roça. O moleque encostava um canivete na minha garganta, ordenando:

— Larga isso.

Os pães ou a vida. As bolachas e os fósforos ou a morte.

Eu largava.

E começava a chorar. De raiva. De vergonha. Por não ter dado uma rasteira no moleque, derrubando-o com canivete e tudo, para recuperar as compras. Com que cara ia chegar àquela casa, como iria explicar que tinha deixado um menino do meu tamanho me roubar? Por que não reagira com destreza, compensando a desvantagem de estar desarmado, na mão e na pernada? Na moral?

Acordava com um coro esganiçado atazanando o meu juízo:

— Totonhim! Cadê os pães, Totonhim?

E o pior:

— Ai, se seu irmão Nelo estivesse aqui. Meu Deus, como ele faz falta.

A voz que ouço ao longe agora vem se aproximando, chega mais para perto, explode nos meus ouvidos:

— Totonhim!

É uma voz forte, poderosa, que ecoa como uma bomba, quebrando o silêncio, implodindo memórias, soterrando os fantasmas.

— Não se mexa. É um assalto!

Não, não é o cano de um revólver o que pressiona as minhas costas. Nem é o canivete do pivete do sonho. É apenas o dedo de um homem incapaz de matar uma mosca, eu sei. Mesmo assim, ao me virar para trás, levo uma mão ao peito, arfando. E digo, ainda ofegante:

— Puxa! Mais uma dessas e caio duro, fulminado por um infarto.

Meu pai ri da minha cara assustada:

— Tá me estranhando, caboco? Não reconhece a minha voz, não?

— É, o senhor me deu um susto danado.

— Pra ver se te acordava. Achei que você estava dormindo em pé. Ou vendo assombração.

— Assombração só aparece de noite, esqueceu?

— Você é que pode ter se esquecido disso.

Ele riu de novo. Eis aí um homem que ri de tudo e de nada. Este, sim, vai morrer dando umas boas risadas.

— Nunca teve medo de assombração, não, velho?

— Nem de assombração, nem de ladrão.

— Mas, pera lá. Como é que o senhor fica preocupado com as suas galinhas, com medo que elas sejam roubadas? Conta essa história direito. — Quase pergunto: "E os homens do banco, que emprestaram dinheiro para o senhor plantar sisal? O senhor se deu mal, e eles, a bem dizer, tomaram as suas terras. Eram uns anjos? Uns santos?" Mas me contenho, em boa hora. Papai está tão animado. Para que remexer em suas tristezas? Deixa o velho falar de suas galinhas.

— Minha preocupação é porque as pobrezinhas ficam muito sozinhas, sem ninguém que tome conta delas, lá na minha rocinha, que fica na beira da estrada. Aqui na rua a coisa é diferente.

— E os ladrões de galinha? Quando são achados, vão pra cadeia e apanham até sangrar, como antigamente?

— Lá isso é. Os desgraçados apanham até nem poderem mais dizer chega.

— Virge Maria! E ainda tem ladrão de gado?

— Quando tem gado. E só aparece gado quando Deus manda chuva e os pastos ficam verdes. Com a seca, os ladrões de gado desaparecem. Vão bater em outras freguesias.

— E eles também vão em cana e apanham que nem os ladrões de galinha?

— Que nada. Ladrão de gado é tudo filho de fazendeiro endinheirado. Zanzam pra cima e pra baixo, fazendo arruaça, e ninguém bota a mão neles. Quem pode pode, quem não pode se sacode.

— Quer dizer que por aqui tudo continua como antes?

— Nem tudo. Tem muita novidade por aí. Pare com esse medo de assombração, menino. Vá dar uma volta. Visite os parentes, veja o povo. E puxe uma prosa com as meninas. Aqui tem muita moça bonita, que cresceu enquanto você esteve fora.

Penso: é agora que ele vai perguntar se sou casado, se tenho filhos, se a mulher é paulista ou não, essas coisas. Mas não perguntou. Vai ver está esperando que eu mesmo diga, sem precisar ser perguntado.

— Ah, sim, Totonhim. Tem uma pessoa daqui que nunca esqueceu de você. Sempre fala de você, relembrando os seus velhos tempos.

— Mas quem?

— Não venha me dizer que você já se esqueceu da sua primeira namorada.

— Disso ninguém esquece. Já sei de quem o senhor está falando. Eu só não sabia é que ela ainda morava aqui.

— Ela estudou fora, se formou como professora e agora ensina no ginásio. Acho que é a diretora. Agora você já sabe o que devia saber. Já lhe dei uma pista.

Tento me lembrar do seu rosto, da sua voz, das suas mãos, do seu jeito de se vestir e andar. Ela tinha uns pés rechonchudinhos, bem torneados, lindos, pedindo para serem apalpados, acariciados, mordidos. Eu os preferia descalços ou, no máximo, metidos numas sandálias que não os encobrisse inteiramente. Era uma das meninas mais bonitas deste lugar. Como estará agora? Casada, cheia de filhos, gordona, de peito caído, cheia de rugas? Ou uma balzaquiana enxuta, apetitosa? E solteirona?

— Vive como uma viúva — diz o meu pai.

— O marido morreu de quê?

— Viúva de marido vivo. Ela foi devolvida aos pais no dia seguinte ao casamento. Porque não era mais virgem.

— Não acredito. Conta outra, velho.

— Pois pode acreditar. E imagine o falatório. A coitada sofreu o diabo na boca do povo. Agora, aqui pra nós, que ninguém nos ouça: foi você, Totonhim, o primeiro? Foi ou não foi você, seu cachorro?

— Ah, papai. Que pergunta! Por favor, pare com isso.

— Bom, não precisa ficar encabulado. Perguntei por perguntar. Vamos ver as panelas. Venha sentir o cheiro da comida. Isso é que tem futuro. O resto é passado. Já morreu.

E lá vamos nós, marchando para o futuro, que fumegava num fogão de lenha mais velho do que o mundo, em panelas de barro, evaporando um cheirinho bom de coentro, manjericão, alecrim e palha de cebola. Se é que a alegria vem mesmo da barriga, o aroma que dominava o ar espantava qualquer tristeza. As panelas prometiam um feijão, um arroz e um frango ensopado memoráveis. Tudo em fogo baixo. Fogo brando, como a voz do meu pai.

— O segredo de quem cozinha, Totonhim, é não ter pressa. Apressadinho come cru. Que horas são?

É aí que me dou conta de que ele não tem um relógio. E nem precisa. Não vive no mundo dos apressados, como eu.

— Onze horas — respondo.

— Pode dar uma volta. É cedo. As panelas podem esperar. Ou você já está com fome?

— Ainda não.

Não lhe digo que antes de partir para cá minha mãe me entupiu de cuscuz de milho, batata-doce, aipim, banana assada, para eu "matar as saudades" das manhãs do meu tempo de menino, como se não existisse nada disso pelo Brasil afora. Até agora tenho evitado qualquer referência a ela, temendo remexer em antigas feridas. Por isso não digo ao meu pai por que estou de barriga forrada.

— Se dá para aguentar mais uma horinha, pode ir, que eu fico aqui tomando conta das panelas, para a comida não passar do ponto.

— Quer que eu traga alguma coisa?

— Uma caixa de fósforos.

O mesmíssimo pedido que ele me fazia no meu sonho de noites e noites. Incrível.

— Ah, sim, Totonhim. Pode fechar as janelas e encostar a porta.

— Está com medo de ladrão, velho?

— Que ladrão, que nada. É que pode chover.

— Chuva, agora? Com este céu tão limpo? O senhor está sonhando.

— Vai chover hoje, você vai ver. E você vai virar um herói. Todos vão achar você um enviado de Deus.

— Por quê?

— Porque você trouxe a chuva.

— E aí vão me carregar num andor?

— Vão vestir terno branco, se encher de cachaça e rolar na lama, arrastando você para a farra, para a enlameação. Pode ir se preparando, porque vai chover. E você vai virar o deus da chuva.

— E aí, o que vão querer que eu faça, como o deus da chuva? O senhor já me advertiu de que o povo daqui se ofende à toa. Se chover mesmo, como o senhor diz que vai, o que tenho que fazer?

— Tomar cachaça com todo mundo e rolar na lama. Mas não vá beber demais, por conta. Espere a chuva chegar. Bebida demais tira a fome. E eu já não tenho barriga para aguentar toda essa comida sozinho. Se quiser, traga uns amigos que a boia dá.

— Que amigos, papai?

— Ora, você vai encontrar alguns deles por aí. Nem todos foram embora. Só lhe peço uma coisa: não traga aqui o tal do prefeito. Este não pisa nesta casa, muito menos entra nesta cozinha, nem pintado de ouro da cabeça aos pés.

— Por quê?

— Porque é um ladrão.

— Mas o senhor não disse que aqui não tem ladrão?

— Disse e repito: não tem. O prefeito não é um ladrão qualquer, um pé de chinelo que bate a sua carteira, rouba casas e galinhas. É um ladrão cheio de manhas, de lero-lero, que não furta ninguém em particular, mas rouba a todos em geral. Um ladrão do povo. Um imposto daqui, uma verba estadual dali, um adjutório federal de lá, obras contra a seca, campanhas contra a fome, e ele embolsando tudo. Dê uma olhada na casa dele. Veja que grandiosidade. Entre lá. Quanto móvel bacana, quanto aparelho eletrônico, quanta bugiganga contrabandeada. O prefeito era pobre como Jó. Agora vive como um rico. Já levou os filhos até para uma tal de Disney não sei o quê. Não quero ver esse ladrão na minha frente. Sei que ele estudou com você, foi seu colega de escola. Mas se aparecer aqui vai ser enxotado. Ladrão, ladrão, ladrão! Quanto a seus outros amigos, pode trazer os que quiser, tirante o prefeito. Agora vá dar a sua volta.

Ah, o velho. "Não vá beber demais." Esse velho... Tudo bem, papai. Vou andar por aí.

— Totonhim!
— Totonhim!
— Totonhim!

Não, não há ninguém me chamando e acenando, ninguém a se esgoelar por mim efusivamente. Já não se fica à janela, esperando os que chegam, olhando os que passam, gritando pelos nomes mais conhecidos, fazendo as honras da casa para os mais ilustres. Cadê o povo desta terra? Morreu de sede? Foi devorado pelo sol? Onde está todo mundo? Em Alagoinhas, Feira de Santana, Salvador, Ilhéus, Itabuna, no Sul do cacau, na fuzarca do Rio de Janeiro, nos poderes de Brasília, nos garimpos do Pará, nas fazendas do Mato Grosso, nos rios do Amazonas, no tráfico de Rondônia, nas terras verdes de São Paulo-Paraná, nos pampas do Rio Grande do Sul? No Exército, na Marinha e na Aeronáutica? Nas igrejas evangélicas? O Brasil é grande e cabe todos nós, é ou não é, gente boa? E o mundo é maior ainda. Tem o Paraguai, a Bolívia, Miami, o Japão, o Irã e o Iraque. E o porto de Roterdã, lá na Holanda. Por isso ou por aquilo, o certo é que o povo daqui sumiu. Não mora mais aqui. Não sei se a culpa foi do tal do homem do cinema, do outro que se perdeu e apareceu nestas bandas montado no primeiro caminhão, da professora Teresa, a que veio de fora para a escola rural trazendo um atlas geográfico e um mapa-múndi, ou das antenas parabólicas. Não me venham, por favor, com as razões da seca, da pobreza, das dificuldades de vida, que isso, por si só, não explica tamanha debandada. Certeza mesmo só tenho esta: cá estou, pisando na terra das aves de arribação, andando devagar, silenciosamente, como quem pisa em ovos ou brinca de cabra-cega. ("De onde você vem? Do sertão. Para onde você vai? Pro sertão.") Eis-me aqui na mesma calçada da igreja, na mesma praça, revendo as mesmas vendas e as mesmas casas, sem ninguém que olhe pra mim, que me dê um sorriso, um abraço e um aperto de mão. Poxa, gente. Como todo mundo pode ter esquecido de que aqui joguei bola, andei de pés descalços, queimei a sola dos meus pés, vivi minhas utopias, sonhei muito e o verde era a cor dos meus sonhos? Sem drama, pessoal. Que é que é isso? Por que vocês desaparecem à minha passagem? Não é o Anticristo quem está chegando. Muito menos um bandoleiro Lampião ressuscitado, aquele que mandava recado dizendo que vinha e nunca veio, porque nunca teve tempo de passar neste fim de mundo. Ainda assim, seus recados fizeram estragos, provocaram correrias, deixaram o lugar em polvorosa — alguém por aqui deve se lembrar disso. Meu pai, por exemplo. Ele não esquece de um baile interrompido em desespero, ao se ouvir um tropel no meio da noite. A ordem de dispersar foi dada pelo sanfoneiro: "Lá vem Corisco/mais Lampião/chapéu de couro/

fuzil na mão." E pernas para o mato. Só que o tropel era de uns coitados de uns matutos que também vinham para o baile. Por anos e anos o lugar iria se envergonhar deste vexame. Calma, meu povo. Já não há mais Lampião nenhum. E eu sou de paz. Estou aqui desarmado.

Aqui: longe das filas, dos engarrafamentos, da fumaça, dos elevadores, fax, computadores, telefone. Não é um paraíso? É tudo tão tranquilo, tão exageradamente calmo, que me dá medo.

Ei, mostrem as suas caras. Pigarreiem, sussurrem, falem, gritem, berrem, digam qualquer coisa.

— Oi.
— Bom dia.
— Como vai você?
— Veio matar as saudades?
— Olha só quem chegou!
— Você veio a passeio ou voltou de vez?

Vontade de soltar um berro, como o mais tonitruante dos políticos de sorriso fácil e fartos abraços, os que só aparecem nas campanhas eleitorais, afalfando-se, apopléticos: "Povo da minha terra!" E que vão embora dizendo para si mesmos: "Do povo só queremos voto. E distância." Se eu fosse um desses, vocês apareceriam em suas janelas? Correriam para a praça? Ergueriam os seus braços? Gritariam o meu nome? Olha que eu posso dar uma de doido, para infernizar o juízo de vocês: "Condenados!" Em vão. Iria endoidecer de verdade, berrando para nada e ninguém.

Estou entrando num deserto em que o ruído de uma mosca produz um efeito parecido com o de um avião decolando. "Povo da minha terra!" Que povo? E o meu pai ainda teve a coragem de me mandar passear, dar uma volta, conversar com todos, para que ninguém pense que voltei orgulhoso. "Você sabe como essa gente se ofende à toa." Que gente? O velho me fez cair numa cilada. Devia estar querendo que eu descobrisse por mim mesmo que o lugar já morreu. E aí? Só sobrou ele? Ah, então é por isso que vive falando com os mortos. Acho que começo a entender o espírito dessa história.

Onde estão o homem vestido de vaqueiro e as meninas e meninos de azul e branco, a caminho da escola, que ainda há pouco eu vi passando? Pura imaginação?

De repente me ocorre uma possibilidade fantástica: ao deixar a estrada principal e pegar o atalho para cá, fui sequestrado pelo espírito de um aviador nascido aqui e levado para outro fim de mundo chamado Comala, um lugarejo mexicano inexistente. Ou seja: não viajei para lugar nenhum, não cheguei ao Junco coisa nenhuma. Estou mesmo é em São Paulo, é domingo de manhã, minha irmã não me telefonou nem nada, chove às pampas e, como não há nada a fazer num domingo de chuva, peguei na estante um livro de Juan Rulfo, o *Pedro Páramo*, cuja história se passa nessa tal de Comala, onde todos estão mortos. E aí me deu vontade de voltar ao Junco, para rever o meu pai, se é que ele ainda estava vivo. E, quando chego lá, todos se escondem em suas casas, se refugiam em seus quartos dos santos, para não me verem passar diante de suas janelas, temendo que eu tenha voltado para cumprir a minha sina de condenado — um condenado a caminho do inferno. E só para infernizá-los.

E no entanto me delicio ao reencontrar uma cidadezinha singela, bonitinha, graciosa, limpíssima. Sem vestígios de cocô de cachorro, pontas de cigarro, papel picado, sacos plásticos, páginas de jornal. Se não tem lixo, não tem gente. Percebo isso depois de uma longa e agradável conversa com o meu pai, que reencontro são e forte, muito bem-disposto, feliz da vida.

E o melhor: um homem sem medo. Nem de assombração, nem de ladrão. Será que o tempo todo estive conversando com um fantasma? Ao me bater a desconfiança, como numa intuição premonitória de que o meu pai já morreu, digo, desesperado:

— Puta que pariu. E não me avisaram da sua morte. Não me chamaram para o enterro.

"Vim a Comala porque me disseram que aqui vivia o meu pai", assim começa *Pedro Páramo*. E assim começou a minha viagem de volta. Não será surpresa se der de cara, ao dobrar uma esquina e entrar num beco sem saída, com a alma do finado Juan Rulfo, o contador das histórias do Junco-Comala.

— Sinta-se em casa — direi a ele, com sinceridade, mas tremendo muito, pela minha falta de convívio com os finados. — Este lugar tem alguma coisa em comum com o seu México. A intimidade com a morte.

À medida que as palavras vão se corporificando em minha boca, vou dominando a tremedeira. Continuo:

— E a cachaça e a pimenta-malagueta reforçam a nossa parecença, porque também nos dão um temperamento ardido, provocam dramalhões viscerais.

Ao que ele responderá, falando baixinho, quase inaudível:

— Foi o que eu sempre pensei. Em certos aspectos, o Brasil é um grande México. Brindemos com a tequila que eu trouxe nos meus alforjes. Arde tanto quanto a cachaça.

Meu pai aparece no exato momento em que Rulfo e eu tocamos os nossos copos: "Tintim."

— Já não se morre mais — diz o velho.

Claro, óbvio, elementar: ninguém morre duas vezes.

Está matada a charada.

Meu Deus.

Só me resta guardar na memória as imagens do lugar em que nasci, dos seus dias ensolarados à sua chuva benfazeja, suas histórias intermináveis, sua fala arrastada, às vezes doce, outras áspera, conforme o momento, a ocasião. Cafunés de mãe, tias e primas. Flores no quintal, um galo no terreiro. Das suas noites mais longas do que os dias. Dos meus sonhos.

Guardei este lugar como última possibilidade de refúgio, para criar galinha, quando levasse um pé na bunda no emprego, na onda devastadora do enxugamento empregatício, na devoradora maré da reengenharia global. Ou quando estourasse uma guerra no Brasil. Ou anunciassem a chegada do fim do mundo, que não vai atingir estes confins, não sei se por misericórdia de Deus ou por falta de informação sobre o seu dia e hora, já que esta é uma terra sem rádio e sem notícias das terras civilizadas. Era o que eu pensava, antes de chegar e ver, com os meus próprios olhos, as antenas parabólicas sobre os telhados. E me perguntar: ainda terei um lugar aqui? preciso morrer para ter direito a esse lugar?

Aqui aprendi a ler. E a escrever um pouco mais do que assinar o meu nome para poder votar, nos dias de eleição. Digo: aprendi o bastante para escapar do cabo de uma enxada, sem me tornar um ajudante de pedreiro, um peão de obra nas estradas e nos parques industriais, um porteiro de edifício nas grandes cidades. O que não me garantiu nenhuma imunidade contra o desemprego. Aqui tomei gosto pelos livros. Descobri o prazer de lê-los. Viva a professora Teresa, a mãe letrada de todos nós. Viva mamãe, que me empurrou para a escola. Mas às vezes me pergunto: valeu a pena? Ora, se serviu para que eu conseguisse uma ocupação mais leve do que a de um trabalhador braçal, já é alguma coisa. E me tornou capaz de empreender uma viagem fantástica, através das páginas de um romance chamado *Pedro Páramo*.

Não, não é por eu ser bancário que não possa ser dado a umas leituras. Quem disse que bancário só pode gostar de números, talões de cheques, depósitos, ordens de pagamento, cartões magnéticos, etc., etc., etc.?

Viva o Mestre Fogueteiro. Viva o São Escrivão. Eles me emprestaram muitos livros. Aqui, neste lugar.

Mestre Fogueteiro — o meu primeiro tipo inesquecível. O Satanás do Inferno Verde, assim chamado por ser espírita — o único destas bandas — e nunca dar o ar de sua graça nas missas e no confessionário. Nem por isso o povo católico apostólico romano tinha coragem de excomungá-lo publicamente, apesar de todas as restrições à sua falta de fé na Igreja de Deus. Toleravam-no. Pudera. Sem os seus foguetes não havia festas nem comemorações, religiosas ou não. E os pais não teriam como anunciar aos quatro ventos os nascimentos de seus filhos. O Mestre Fogueteiro era um mago a transformar pólvora em artifícios encantatórios — foguetinhos, foguetões, foguetes de lágrimas, busca-pés, chuvinhas, fósforos de cor —, sem o que não se dariam vivas a Santo Antônio, São João, São Pedro e à padroeira. Eu simplesmente o considerava o mais sábio dos homens. E não apenas por ser o mágico a iluminar as nossas noites, o nosso céu, mas por ser o único a possuir uma estantezinha recheada de livros, com algumas preciosidades em prosa e verso, além das de seus autores espíritas, em sua casa humildezinha, na periférica rua do Tanque Velho, lá pra baixo, a uns duzentos ou trezentos passos da praça principal, longe da igreja.

Depois é que veio o Escrivão, para abrir uma coletoria, lavrar escrituras e cobrar impostos. Ele tinha uma conversa ilustrada, cativante. E também não era um carola praticante. Coitado. Passaram a recomendar distância dele, que só podia ser um comunista descarado. Para complicar ainda mais a sua situação, cometeu a imprudência de confessar-se um leitor entusiasmado de Jorge Amado, sabidamente um herege pactuado com o diabo, um comparsa do bando que espetava padres e comia criancinhas. O Escrivão devia ser da mesma laia. Ave, Maria! Louvado seja Deus, Nosso Senhor Jesus Cristo! Conversar com o Escrivão, aceitar os seus livros emprestados era uma heresia que certamente ia pesar muito na balança de São Miguel, ao chegar a minha vez de bater na porta de São Pedro. E quando minha mãe me empurrava para o confessionário, eu, pecador, aumentando ainda mais o peso dos meus pecados, omitia para o padre que vinha trocando o reino dos céus pelo aliciamento literário do Escrivão e dos seus poetas, que imaginavam subvertedores da fé cristã e que, se os lessem, iriam absolvê-los, por serem inocentes. Os poetas do Escrivão: Gonçalves Dias, Castro Alves, Augusto dos Anjos. ("Não chore, meu filho/não chore/a vida é luta renhida/viver é lutar" — "Oh, eu quero viver, beber perfume/na flor silvestre que embalsama os ares/ver minh'alma adejar pelo infinito/qual branca vela na amplidão dos mares" — "Doutor, pegue essa tesoura e corte/a minha singularíssima pessoa/que importa a mim que a bicharia roa/todo o meu coração depois da morte".)

Mestre Fogueteiro! São Escrivão! Saiam de suas covas. Agora já podemos fazer as nossas tertúlias em paz. Já não há mais uma única beata para nos encher o saco. Apareçam. A praça é nossa. Como o céu é dos foguetes.

Pelo menos, em Comala os mortos falavam. Aqui, nem isso. Vai ver, a tequila é melhor para os espíritos do que a cachaça.

Como é que é, pessoal? Qual é o problema, queridos? Vão continuar brincando de esconder por *saecula, saeculorum*, amém? Creiam-me: estou aqui numa boa, sem fins lucrativos. Não tenho o menor interesse no dinheiro encantado de vocês. Nem num palmo de terra. Também não vim em missão profissional, para gravar um fantástico programa de televisão sobre esse estranho lugar, onde toda a população já morreu — com exceção do meu pai, espero —, e apresentá-lo numa rede nacional, em horário nobre, atraindo a sanha e a fúria de todas as câmaras do planeta, e a curiosidade dos espíritas, dos esotéricos, dos estudiosos da vida *post mortem*, e a correria dos vendedores de pipoca, de coca-cola, de lembrancinhas, espirituais ou não, e o assanhamento dos agentes de viagem e dos guias turísticos, e imaginem a bagunça, o desassossego, o terror, o inferno.

E adeus paz eterna.

Não. Não estou aqui também para remexer em velhos ódios, os escândalos e as tragédias fantasmagóricas, incapazes de morrer nos pequenos lugares, como diria outro finado ilustre — de Saint Paul, Minnesota —, que se assinava F. Scott Fitzgerald. Um que, mesmo nunca tendo frequentado as estantes do Mestre Fogueteiro e do Escrivão, tinha uma certa simpatia pelos cafundós onde dá para se ouvir um cachorro uivando no outro lado do universo.

Procuro apenas um sinal de vida. Um ser vivo. Ainda que seja na última bodega. E que ele esteja caindo de bêbado.

Com licença. Agora preciso ligar pra casa. Para saber se minha mulher e os meus filhos estão bem, não foram assaltados e sequestrados nem nada. É sempre esse temor, esse pânico, quando viajo ou quando demoram a chegar. Alô! Socorro! Meu avião caiu num deserto. Sim, sim, claro, sobrevivi, senão não estava aqui falando. Não, não. Não faço a menor ideia de onde estou. Impossível assim providenciar o resgate? Liga aí urgente para a companhia aérea. Devem saber mais ou menos em que região o avião caiu.

Mas cadê o posto telefônico? Minha irmã Noêmia me enganou, quando disse que estava me telefonando daqui, no começo desta história. Era só uma brincadeirinha de uma maninha metida a engraçadinha? Caí feito um pato na sua armadilha.

Ela me paga. Na volta, ela vai ver. Vou dizer-lhe poucas e boas. Que irmãzinha sacana.

Primeiro sinal de vida: um tiro. Ou qualquer coisa parecida. Também pode ter sido um rojão detonado pelo Mestre Fogueteiro, apresentando os seus votos de boas-vindas. O som do petardo veio lá de baixo, daqui da praça não dá pra ver o que está acontecendo. Apresso o passo e chego a uma venda. Aleluia. Nem todos estão mortos. Um homem cochila com a cabeça recostada num saco de aniagem. Outro, sentado num tamborete, coça os dedos de um pé. Eta vida boa, meu Deus. Nada para fazer, a não ser ver o tempo passar. Vencidos pelo sol. Mas combatendo na sombra. Filosofando. Seriam eles fantasmas?

Atrás do balcão há um homem mais ou menos da minha idade, já calvo e pançudo, com o rosto apoiado entre as mãos e que parecia estar olhando para ontem, até a minha chegada.

— Bom dia — eu digo. E pergunto se ele tem água mineral.

— Com ou sem gás?

— Tanto faz.

— Só não está é muito gelada.

— Não faz mal.

Ele traz a água, abre a garrafa e me olha de cima a baixo. Bebo a água, visivelmente incomodado com a sua inspeção. Com toda certeza não está me reconhecendo. Nem eu a ele.

— Que calor, hein? — digo isso para quebrar o clima, puxando assunto.

— Você é, você é... Deixa ver se me lembro. Ah, já sei. Um dos filhos mais novos do velho Totonho. Neto do finado Godofredo.

— Acertou na mosca — respondo. E penso: meu pai na verdade se chama Antão, um nome que ligeiramente lembra Antônio. Virou Totonho. Eu sou o Antão Filho. Virei Totonhim. Vá lá saber por quê. Inventam os apelidos de acordo com os sons que batem melhor nos ouvidos. No meu caso até que a coisa é explicável: Totonhim, filho de Totonho. Por que não Totonhozinho?

— Mas, rapaz, você por aqui? Que surpresa! Agora, quero ver se você se lembra de mim.

— Você é, você é...

— O Údsu, rapaz. Esqueceu? Nós fomos colegas de escola.

— Mas é claro. Agora me lembro. Velho Údsu. Você era bom de bola. E me dava cada rasteira. Eu vivia todo lanhado, por causa de suas pernadas.

Não pergunto se ele se lembra do meu nome. Deixa pra lá. Peço a caixa de fósforos que o meu pai encomendou.

— E o velho Totonho, hein?

— Está bem. Muito bem.

— Ele é duro na queda. E olha que chuta uma cana danada.

— É mesmo? Pois encontrei ele mais sóbrio do que um poste.

— Espere mais um pouco, pra você ver. Espere, espere.

Sim, vou esperar, claro. Pra tomar um porre com ele. Não foi pra isso que vim aqui?

Nisso entra um rapaz. Veio correndo, a julgar pelo suor na cara e lhe encharcando a camisa, pela respiração ofegante, pelo seu jeito atônito. Pede água. E diz:

— Assaltaram o supermercado.

— O quê?! — exclamamos todos, em uníssono. Até os dois filósofos dorminhocos, que por preguiça nem responderam ao meu bom-dia, acordaram, fazendo parte do coro, um quarteto de espantados.

— Os assaltantes chegaram de carro. Eram três. Dois entraram no supermercado e o outro ficou esperando, com as portas do carro abertas.

— Estavam armados? — pergunto.

— Estavam.

— Atiraram? Feriram ou mataram alguém? — pergunta o dono da venda.

A mão do rapaz treme tanto que ele quase não consegue beber a água.

— Conta lá. Como foi? — interfere um dos dorminhocos, agora bem desperto, para o mundo dos vivos.

O rapaz começa a contar. Sua fala sai aos solavancos:

— Eu estava lá dentro e vi tudo. Quase me borrei de medo. Eram três. Chegaram de carro. Dois entraram e o outro ficou tomando conta do carro, com as portas abertas, como eu já disse. Um foi direto pro caixa e o comparsa dele ficou perto da porta, controlando o movimento. O que foi pro caixa gritou: "É um assalto. Todos no chão. Deitados e quietinhos. Se alguém se mexer, a gente atira." Ele deu um empurrão, afastando o cara do caixa, que caiu longe. O assaltante apontou a arma pra ele e disse: "Fica aí mesmo. Não se mexa." E raspou as gavetas do caixa. Depois virou pra trás e mostrou o dinheiro pro outro, gritando: "Olha que mixaria. Isso não paga a viagem. Onde está o dono ou o gerente desta merda?" Uma mão se levantou e uma voz respondeu: "Aqui." O assaltante correu pra ele, apontou a arma na cabeça dele e disse: "Levante-se, ponha as mãos pro alto e venha abrir o cofre." Voltou com o dono do supermercado na frente, a arma apontada na nuca dele e uma capanga pendurada no ombro, com todo o dinheiro do cofre e mais o da caixa. Ao chegar na porta, deu uma coronhada na cabeça do dono do supermercado, que desmaiou, ali mesmo. Mas já foi levado pro hospital. Depois o ladrão deu um tiro pra cima, avisando: "Quem nos seguir leva bala." E arrancaram, cantando pneu, igualzinho nos filmes da televisão.

— Ninguém mais se machucou ou foi baleado? — pergunta o que repentinamente deixou de coçar o pé para se ligar aos acontecimentos.

— Não. Mas todos que estavam lá dentro se borraram nas cuecas e nas calcinhas. Não sei o que foi pior. O medo dos homens ou ter que aguentar o fedor. Ninguém aqui ouviu o tiro, não?

— Ouvi um estalo, quando estava vindo pra cá. Mas não dava pra saber o que era e nem onde era — eu digo.

— Eu também ouvi um estampido — diz o dono da venda. — Pensei que era uma bomba de São João fora de época.

Outro pergunta:

— A polícia foi atrás deles?

— O carro da polícia está no conserto, faz dias.

— Puxa — eu digo.

— É que a polícia daqui nunca precisou usar o carro pra perseguir assaltantes — esclarece o dono da venda. — Nunca teve disso aqui antes. É o primeiro assalto.

A venda começa a se encher. Daqui a pouco vai estar entupida. Melhor para o pobre do Údsu. Até há poucos instantes sua casa estava às moscas. Ora viva: já não me sinto num deserto. Mas de onde saiu tanta gente? O que faziam? Cada um que chega traz uma nova versão para o caso, acrescenta um ponto. Enquanto isso, acompanho a agitação do dono da venda, afalfando-se do balcão para a geladeira e da geladeira para o balcão, me lembrando de que ele na verdade se chama Hudson, como foi batizado e a professora pronunciava, estendendo a última sílaba do seu nome, na esperança de que a turma viesse a dizê-

-lo corretamente, no mais inútil dos esforços humanos. Aqui fica-se com a maneira mais fácil de pronunciar um nome. Não adianta complicar, que o povo simplifica. Voltemos ao assunto trepidante, o prato do dia. Aos novos informes:

— Na saída os assaltantes deram uma limpa no posto de gasolina. Dizem que balearam um rapaz do posto, que tentou reagir com uma barra de ferro.

— Foi mesmo? Que desgraça. O rapaz ainda está vivo?

— Não sei.

— Bastou ter o primeiro assalto para acontecer o segundo, em poucos minutos — eu digo.

— Não tem nem um mês que o posto foi inaugurado — outro lembra.

— É, foi feito depois que asfaltaram a estrada.

— Taí pra que serve estrada asfaltada.

— É o progresso — digo eu. — O Junco acaba de entrar no mapa do mundo.

Ninguém presta atenção no que acabei de dizer, porque chega mais um com a última novidade.

— Tomaram o carro de um homem que vinha pra cá. Foi lá em cima, depois da Ladeira Grande. E largaram o deles lá.

— Pra despistar. O carro deles devia também ser roubado — eu digo, do alto das minhas leituras do noticiário policial.

— Fizeram alguma malvadeza com o dono do carro?

— Levaram ele. Amarrado e jogado dentro do porta-malas.

— Como foi que você ficou sabendo disto?

— Por um matuto que vinha a cavalo e que viu tudo escondido atrás de uma moita. E ainda dizem que matuto é bobo.

— O primeiro assalto agora são três, numa questão de instantes. E mais um sequestro. Pronto. O velho Junco acaba de ser crismado e batizado. E isso é que é um batismo de fogo.

— Ei — diz o dono da venda, apontando pra mim. — Esperem aí. Olha aqui quem trouxe os assaltantes.

É a minha vez de ficar espantado. Aquela brincadeira podia dar em confusão, com tantos ânimos exaltados, tanto suor e cerveja.

— Eu? Por que logo eu?

— Você ficou um tempão sem vir aqui. E aí, quando chega, os assaltantes aparecem. Pra mim, você é suspeito — diz o Údsu, rindo.

Todos me olham, como se perguntassem: "Será?" Tento me safar, rapidamente:

— Vai me entregar pra polícia, é, Údsu? Só faltava eu voltar aqui pra ir em cana — digo isso pedindo cerveja e convidando a todos para uma rodada por minha conta. E não é que alguns até já me reconheceram, já me cumprimentaram? Os mais desinibidos me abraçam, uns dizem que mudei muito, estou diferente, outros acham que não, que continuo igualzinho ao que era antes. Chato é ouvir alguém dizer que envelheci, não por acaso foi o Údsu, ou Hudson, quem disse isso. O careca e barrigudo. E eu: "E essa carequinha aí, o que é? Sabedoria? E esse barrigão, é o quê? Prosperidade?" Ele riu amarelo, encabulado. E tratou de trazer as cervejas, uma atrás da outra.

E atenção para as últimas notícias:

O delegado daqui acaba de entrar em contato com o delegado de Inhambupe. A polícia de lá vai tocaiar os assaltantes, no Entroncamento. O pau vai comer.

— Será que vai passar na televisão? — pergunta, ainda muito agitado, o rapaz que foi a testemunha ocular do primeiro assalto.

— Vai chover bala.

Penso: esse aí vai passar o resto da vida dizendo "meninos, eu vi".

De repente ele me encara, pensa alguma coisa com a qual eu deva ter alguma relação e dispara:

— Você não conhece ninguém que trabalha na televisão, não? Ligue pra lá. Chame os repórteres. Não podemos perder essa chance de aparecer na TV.

— Pra quê? Pra chamar outros assaltantes?

— Pode ser uma boa propaganda da nossa terra.

Eu, hein! O moço é todo moderninho, enturmado, cheio de moda.

— Ô Údsu. Traz uma cachaça pra esse rapaz aqui. Olha só como ele continua tremendo — diz um dos homens. — Deste jeito vai acabar vendo visagem.

— Ou tendo um troço — digo eu. — Traz água com açúcar, Údsu. É o que ele está precisando.

Não, não estou brincando. O rapaz ainda não se recuperou do susto e continua mesmo muito nervoso e trêmulo, parecendo à beira de uma síncope, a um passo de se tornar mais uma baixa do primeiro assalto. Passo-lhe o copo de água com açúcar, insistindo:

— Beba isso, vamos. Vai lhe acalmar. E quando chegar em casa tome um chá de casca de laranja.

Este meu cuidado não deixa de ser uma recompensa pela informação de que aqui tem, de fato, um posto telefônico. Estou salvo. Agora já sei que posso telefonar pra casa. A não ser que outros assaltantes apareçam, seguindo a trilha aberta pelos que já se foram, cortem os fios do telefone ou invadam a venda do Údsu, atirando loucamente. Ou que a praça seja sacudida por um tiroteio monumental, sobrando bala pra todo lado.

Eu não queria um sinal de vida no reino do silêncio? Pois o encontrara, em doses cavalares. Saí do sonho. Caí na real. Acordei. Agora era bater em retirada. Papai e suas panelas estão à minha espera. Só espero que os bandidos não as tenham raspado, até o fundo do tacho — ele não disse que tinha boia para um batalhão? —, ganhando força para enfrentar a estrada e novos assaltos. E que não tenham dado cabo do velho, de bala ou susto. Senão, quem vai me dizer que hoje não se morre mais?

3.
Tarde

Vem bronca aí

Não, não posso dizer que não vi nada nem ninguém nesta manhã, que tudo foi inútil, que perdi o meu tempo. Mas está faltando mulher nesta história. Nenhum rabo de saia entrou na venda, moça alguma aparece nas janelas, ainda não cruzei com uma única dona na praça. Não avistei nem a sombra da minha primeira namorada. Onde estão as meninas que cresceram enquanto estive fora? E aqui sempre teve mais mulher do que homem. Qual é o mistério? O que fazem? Brincam de boneca? Leem contos de fadas? Como vivem? Com o que sonham? Ainda com os rapazes que foram para São Paulo e um dia virão buscá-las? Ou já não esperam mais por príncipe encantado nenhum?

Mujer, si puedes tú con Dios hablar...

Ah, o tempo dos boleros — que *usted jamás olvidará*. No tempo do Serviço de Alto-Falantes e suas belas canções:

*Tu és
divina e graciosa,
estátua majestosa
do amor...*

É cedo ainda para tais toques de nostalgia. O sol queima a moleira e torra as memórias. Esperemos o luar, na brisa da noite. E que seja uma noite de lua cheia, concertinas, pífanos e trumpetes em surdina, para alegrar o coração das meninas. Doidos e cães uivando. Gemidos de amor. Belos sonhos.

Eu disse que é cedo? Já passa de uma da tarde. Meu pai já deve estar furioso. Ele falou em uma horinha, quando me disse para dar uma volta. Demorei demais. Vai engrossar a voz, ô velho, relembrando o pai de outros tempos? Calma, patrão. Espere eu contar o que aconteceu. Trago-lhe novidades. Demais até para um dia que parecia morto. E não é que estou mesmo com medo de levar um esporro? Que coisa. Um homem feito, dobrando a curva dos quarenta e se sentindo como um garotinho travesso ou um recruta relapso que sabe que será punido por estar chegando atrasado ao quartel.

No boteco o tempo voa sem que se perceba — é sempre a mesma história. E esta é uma história universal. Na mais furreca das bodegas ou no bar mais requintado — com um piano ao fundo tocando Tom Jobim, ou *Blue Moon*, ou *Stella by Starlight* para um monte de bêbados que não estão nem aí para o virtuosismo do melancólico pianista —, até os ponteiros dos relógios se embriagam, de birita, papo e virtudes, como num poema de Baudelaire. Depois os bares se fecham e as virtudes se negam, como no poema do nosso Carlos Drummond de Andrade. (Mestre Fogueteiro! Meu preclaro Escrivão! Temos mais poetas para as nossas tertúlias. Trouxe-lhes algumas lembrancinhas. Flores para as suas tumbas.)

Mas não foi só o tiroteio etílico na venda o que me fez demorar. No caminho de volta ao rancho e às cheirosas panelas do meu pai, fui bruscamente interrompido por um sujeito que vinha apressado na minha direção, todo atarantado, com cara de quem ia tirar alguém da forca. Era o tal homem que o meu pai mais admira neste mundo, adora e venera, a ponto de desejar-lhe uma longa temporada na prisão, antes de embarcar, definitivamente, para as profundas do inferno. Sua excelência, o prefeito. Ele mesmo, em carne e osso. E não é que o digníssimo mandatário me reconheceu e me abraçou, nervosamente, dizendo o meu nome sem titubear, lamentando que eu tivesse chegado num dia de cão? Perguntou se já tinham me contado da "verdadeira tragédia que se abateu sobre a nossa terra", falou das vítimas com voz sofrida e olhar contristado, e temi que ele começasse a chorar copiosamente na minha cara já muito suada e aguada. Quase soluçando, disse que o dono do supermercado e o rapaz do posto de gasolina estavam agonizando no hospital, coitados, um com suspeita de fratura no crânio e o outro com uma perfuração no pulmão. Podiam até ter que ser levados para um hospital com mais recursos, na capital, e ele ia correr para assinar uma requisição de combustível para a ambulância e, depois, para dar assistência aos feridos e suas famílias. Além das providências, junto com o delegado, para o resgate do que foi sequestrado — "é o gerente da nossa agência do Banco do Brasil, sabia?" Sem mais nem menos, falando por falar, acabo por lhe entregar um pote de ouro ao lhe informar que trabalho no Banco do Brasil. Pra quê? Ai, se arrependimento matasse.

— Precisamos conversar — ele disse — Você pode nos ajudar muito. Estão querendo fechar a nossa agência do Banco do

Brasil, é a única agência de banco que nós temos. Venha jantar comigo hoje, venha!

— Não sei se vai dar — respondi —, vim aqui para rever o meu pai, queria ficar um bom tempo com ele.

— Traga o velho, ora — o prefeito não se fez de rogado. — Será um prazer pra mim ter a companhia dele também hoje à noite, eu gosto muito do seu pai. De vez em quando, ao tomar umas cachaças, ele me diz uma porrada de desaforos, me xinga de tudo quanto é nome, me chama de ladrão, mas sei que ele é um bom homem, só que vive numa solidão desgraçada e às vezes tem que desabafar soltando os cachorros em cima do primeiro que lhe apareça pela frente. O que o seu pai precisa, Totonhim, é ver gente, se divertir um pouco, prosear. Ele gosta é disto. Não me faça uma desfeita. Venha jantar comigo e traga o velho. Faço questão.

— Não sei se vai dar — eu disse.

E ele:

— Claro que vai dar, tem que dar, precisamos conversar. Mais tarde a gente se fala, deixa eu correr para tomar as providências, antes que seja tarde demais.

E se foi. Como uma bala.

Ufa!

Em todo caso, melhor um encontro com o prefeito, que sabe que sou daqui e não tenho pinta de assaltante, do que com o delegado, que nunca me viu mais gordo. Até porque lá na venda um engraçadinho disse que um dos ladrões estava vestido igualzinho a mim: tênis branco, calças de *jeans* azuis, camiseta branca. E que o cara era da minha altura e mais ou menos da minha idade. Olha se ele bateu isso pro delegado. Vou ter que encarar um interrogatório aporrinhante, correndo o risco de levar umas bordoadas, enquanto tento provar que periquito não é papagaio.

E assim que me desvencilhei do benemérito prefeito, a correr em apoio às vítimas e às lamentações de praxe para as suas famílias e demais correligionários, previamente contabilizando o quanto a sua pompa e circunstância podia lhe render de votos nas próximas eleições, eis que um valor mais alto se alevanta diante dos meus passos. Uma mulher. Malcheirosa. Velha, maltrapilha, suada, suja. Um trapo humano. E ela vinha cantando: "No céu, no céu, com minha mãe estarei/No céu, no céu, com minha mãe cantarei." Ao parar à minha frente, disse:

— Mô fio, me dê uma nica.

Mamma mia. Mater dolorosa.

"Mô fio" era uma fala de mãe. E uma "nica" o trocadinho da gorjeta para um menino de recado. Uma prata, uma moedinha. Nem o meu pai diz mais palavras assim. Ouvir isso foi uma glória. Eis aí: eu estava diante de uma esmoler tocante. Em vez de uma nica, passei-lhe uma nota até que graudinha, de dois dígitos, uns dezinhos para umas comprinhas e ainda ter troco. Pela sua reação, era uma esmola e tanto.

— Deus que lhe ajude. Deus que lhe dê muito.

Senti firmeza no seu agradecimento. Não estava apenas recitando frases decoradas para tais ocasiões. Havia sentimento na sua voz. E isso me fez ficar parado diante dela, embora temendo que se ajoelhasse e beijasse os meus pés, como se eu fosse o Papa. E no entanto a minha prodigalidade se resumia a uma gruja que um porteiro de boate em São Paulo não menosprezaria. E nem por isso diria "Deus que lhe ajude", etc. Cada mundo com os seus valores.

— Vosmecê é daqui?

— Sou, sim, senhora. Mas moro em São Paulo.

Ah, São Paulo! Terra boa. Muita chuva e fartura. Os filhos dela também moravam lá, não mandaram dizer nada? Eu não tinha trazido nenhum recado? A última vez que ela soube deles ainda não tinham dado sorte. Continuavam sem trabalho. Será que estavam vivendo de esmola, que nem ela? Deus haveria de ajudá-los. Ela rezava pra que isso acontecesse, todas as noites. Todo santo dia. Com fé em Deus, a vida de seus filhos ia melhorar.

— Mas vosmecê parece bem de vida. Agora me diga: quem é o seu pai?

— O velho Totonho.

— Totonho de Sinhô do Pilão, marido de Maria do finado Godofredo?

Se ela disse "Sinhô do Pilão", era porque estava se referindo ao nome da fazenda em que o meu avô paterno morava. Isso significava que havia outros com o nome de Sinhô. E muitos Godofredos ainda vivos, daí o meu avô materno ser chamado de "finado Godofredo". Eis uma terra onde ninguém conhece ninguém pelo sobrenome, mas pelos pais, avós, etc. Fulano de fulano, de beltrano. Coitada da minha mãe. Ia morrer como a Maria de Totonho. A curiosa e cativante mendiga ainda estava no tempo dos casamentos indissolúveis. Contemplei-a com mais um instante de prosa. Ela merecia.

— Sim, senhora. Sou filho desse Totonho mesmo. E eu sou o Totonhim. É assim que me chamam, desde menino.

— Totonhinhozinho? Não me diga! Eu sou tua tia, menino. Tua tia Anita do teu tio Zezito, irmão do teu pai. Cadê a bença, Totonhim?

— Bença, tia Anita.

— Deus te abençoe, mô fio.

E quem a abençoaria? E se Deus um dia olhasse a terra e visse o seu estado, compreenderia o seu viver desesperado? Ouviria a sua história?

E tia Anita tinha uma história longa e triste. E eu com medo de levar uma bronca do meu pai, pela demora. E essa conversa ia longe. Perguntei-lhe se não queria almoçar com a gente.

— Tem muito feijão na panela. Venha comigo.

— Mutcho obrigada, Totonhim. Agradeço a tua bondade, mas já tô de barriga cheia. Uma boa alma já me deu um prato de comida. Hoje é meu dia de sorte — falou em sorte erguendo o braço e apertando na mão o dinheiro que eu lhe dera. E dizendo que ia continuar andando, para seguir a sua sina de pedinte, na esperança de ganhar mais umas nicas que lhe garantissem o futuro.

— Desde que teu tio morreu, Totonhim, que vivo da caridade do povo. E, Deus seja louvado, este povaréu até que me ajuda. É por isso que ainda não morri de fome. Agora, a nossa família, nem é bom falar...

— Por que, tia Anita?

— Esse povo do lado do teu pai é muito miserável. Desculpe te dizer, mas é a pura verdade. Chegaram até a me expulsar de casa, aquela casa véia ali na esquina, do teu finado avô, o pai do teu pai. Eu vivia lá, tomando conta, pra que ela não caísse aos pedaços. E ainda assim me botaram pra fora, mesmo sem eu ter pra adonde ir.

— E a sua casa da roça? As suas terras? Eu me lembro onde a senhora morava. Tinha uma vista muito bonita, lá no alto. A frente da casa dava para o pôr do sol mais bonito do mundo. Os seus pastos se esparramavam ladeira abaixo. E os fundos da casa davam para um matagal, cheio de cedros, paus-d'arco, sucupira e passarinhos de todas as cores e espécies. Eu me lembro até da raposa que aparecia de noite para matar as suas galinhas e ovelhas. E das armadilhas que tio Zezito fazia para pegar a raposa. A gente ia buscar lenha no mato morrendo de medo dela. Ô tia. Venha almoçar comigo. Eu dormi muitas vezes e comi muito na sua casa. Gostava muito de ir lá.

— Tu tem boa memória, mô fio. Deus que conserve o teu tutano. Mas já disse que comida pra mim hoje não carece mais. E tu já me deu dinheiro pro pão de mais tarde. Agora, se tu quer saber tudo, eu te conto.

— Sim, sim, conte.

— Teu tio, que Deus o tenha, vendeu a casa e as terras quando ficou velho e cego, sem poder mais trabalhar. E deu quase todo o dinheiro pros meninos irem pra São Paulo. Viemos nos arranchar na casa do teu avô, aqui na rua. Aí teu avô morreu e a parentada começou a arreliar. Logo teu tio morreu também, e nem bem o pobre baixou na cova pra me mandarem embora, sem dó nem piedade. Vá ver o que fizeram na casa. Um risco de cal marcando os pedaços dela pra cada herdeiro. Teu pai foi um dos poucos que não quis pedaço nenhum. Ele disse: "Isso não tá certo. Isso é uma desumanidade. Essa casa é de Anita, que morou nela, cuidou dela, não deixou que ela fosse abaixo. O que vale um metro de parede? O meu metro fica pra Anita e espero que os outros sigam o exemplo." Então eu fiquei com dois metros de parede. Como até hoje não acharam quem quisesse comprar a casa, todo mundo só tem de herança uns riscos de cal em uns poucos palmos de parede. Falam muito mal do teu pai, Totonhim. Que ele é cachaceiro, que é doido, que perdeu tudo que tinha por falta de juízo, por tomar dinheiro emprestado no banco, o que é o mesmo que fazer um pacto com o diabo. Tá certo, ele teve esse azar. Mas não virou um homem ruim por causa dos seus desacertos. Não é um usurário, um unha de fome, como quase todos os nossos parentes. É um homem direito. Deus que dê a ele mutchos anos de vida.

Dois metros de uma parede que ninguém quer comprar: eis a parte do nosso minifúndio que coube à minha tia Anita. Agora ela não tem teto. Aqui, onde antes nunca faltou uma casinha para ninguém, nem que fosse de pindoba. Passei-lhe outra nota, dizendo:

— Espero que dê pra senhora comprar um vestido novo, pra ir à missa, como antigamente.

— Não carece, mô fio, não carece. Tu já me deu muito. Mas já que tu quer me dar mais, mutcho obrigada. Deus que continue te dando mutcho.

Apressei o passo para a calçada da igreja, em busca de uma sombra. Uma voz arrastada, dolente e familiar me acompanhou:

— Deus te leve, viiiiuuuuuuuuuu!

Era uma voz embalada para viagem, e que vinha de longe — de uma cancela lá no alto da montanha, na hora da despedida. Tia Anita adorava ser visitada, na sua casa longínqua mas muito acolhedora. E com o pôr do sol mais bonito do mundo. E ela agora é uma sem-teto. E o seu bordão, a sua senha de despedida, a sua maneira de dizer adeus a nos acompanhar pela estrada, ressurgia das cinzas, da poeira do tempo, como uma punhalada nas costas. Virei-me, erguendo um braço e acenando para ela, com um profundo sentimento de vergonha por ter lhe dado uma esmola, e de revolta por ela estar precisando disso. "Deus te leve, viiiiuuuuuuuuuu!" Essa era a verdadeira marca de minha tia Anita. Não, não era ao fechar a cancela, quando a gente ia embora, que ela se sentia só, naquela casa no fim de uma ladeira que exigia muita perna pra se chegar lá. Era agora. Nas ruas. Pedindo uma nica. Que porra.

E ela:

— Dê lembranças pra todos os môs fios, lá em São Paulo, viiiiuuuuuuuuuu!

Santo Deus. Posso até já ter cruzado com alguns deles pelas ruas, mendigando. E nem parei para perguntar se eram meus primos.

Bom, podia ter encerrado a nossa conversa por ali, pois não havia mais nada de relevante a ser dito e acrescentado. E no entanto lá estava eu me voltando para ela outra vez, esticando assunto, como se não quisesse perdê-la de vista, de trapos, de voz. De fala, sotaque e vocabulário.

— Tia Anita! Tia Anita!

Ela seguia a sua caminhada em passos vagarosos, sem pressa. Cantando:

—"Queremos Deus, homens ingratos,/aos pés supremos, o Redentor..."

Parou ao meu segundo grito. Voltou-se para mim e disse:

— Sim, diga. Diga aí, Totonhim!

— A senhora já soube que roubaram o supermercado?

— Ai, não me diga! Quando foi isso?

— Hoje de manhã.

— E quem fez essa boa ação?

— Uns sujeitos de fora. Rasparam a grana e se picaram, fazendo o maior forrobodó pelo caminho.

— Rá, rá, rá — ela se sacolejou toda, gargalhando loucamente. — Oxente, mas que coisa boa. Ladrão que rouba ladrão tem cem anos de perdão, não é, mô fio?

Também ri, fazendo coro com a sua gargalhada. Era contagiante. E não deixava de ser um novo ponto de vista sobre os acontecimentos alvoroçantes "que se abateram sobre a nossa terra como uma verdadeira tragédia", no dizer do loquaz prefeito.

Retomei o meu caminho, à sombra da igreja, com uma nova preocupação em mente: Que é que é isso, Totonhim? Rindo da desgraça alheia? Neste momento há dois homens agonizando no hospital e outro padecendo, com os braços e os pés amarrados, dentro do porta-malas de um carro, e sabe-se lá qual será o seu destino. E isto não tem a menor graça. Certo, certo, certo, não dá pra sair por aí, rindo à toa, numa hora destas. Mas que tia

Anita me fez rir, isso ela conseguiu. Salve, rainha. Viva tia Anita, uma mendiga retada.

Enquanto andava pela calçada da igreja, pensava, como consolo: os sinos ainda não se pronunciaram. É sinal de que ninguém morreu hoje. Nem pecador, nem anjinho. Por isso eles permanecem em silêncio, na paz de Deus. Parece que aqui já não se morre mais como antigamente, quando todo dia tinha um desfile de caixãozinho azul, dos anjinhos indo para o céu. Será que era isso o que o meu pai estava querendo me dizer?

Pronto. Cá estou, de volta ao rancho.

Venha de lá o seu esporro, meu chefe.

Finalmente um cheiro de mulher

Primeira surpresa: a porta e as janelas estão abertas, escancaradas. Eu não deixei a casa fechada, a pedido do meu pai? Alguma coisa aconteceu ou está acontecendo. Resta saber se boa ou ruim. Não são só os meus passos que se aceleram. Também as batidas do meu coração. E não é somente o amarelinho da venda, a testemunha ocular do assalto e que tremia mais do que poste em terremoto, quem hoje pode ter uma síncope. Esse velho acaba me matando. Aqui e agora. Água com açúcar, por favor. Urgente.

Segunda: a casa não está apenas cheia de luz. Brilha, limpíssima, desempoeirada, muito bem arrumadinha, com um vaso de flores sobre a mesa de centro da saleta logo à entrada, onde meu avô gostava de ficar, em sua cadeira de balanço, olhando o movimento da rua. À direita, a sala de visitas. Ensolarada. Principesca. Como nos seus melhores domingos. Está tão convidativa, tão domingueira, que me esqueço dos meus mais íntimos terrores em relação ao seu famoso canto com um fatídico armador de rede, para o qual ainda não tinha tido coragem de olhar, temendo ver um enforcado. Por aqui deve ter passado um pelotão de caça aos fantasmas. Que deu uma geral também nas lagartixas e nas teias de aranha. Isto está um brinco, uma beleza. Como se a minha avó ainda morasse aqui. Ou o seu espírito tivesse baixado nesta sala, comandando um batalhão de faxineiras. A bênção, madrinha. Os tijolos brilham tanto, estão tão refrescantes, que me dá vontade de me estirar no chão — e dormir. Descansar. Relaxar. Afinal, estou no campo, ou qualquer coisa parecida com isso, e venho trazendo o meu estresse, as minhas tensões urbanoides. Que bom estar numa casa com teto de telha e piso de tijolo. Meu pai sabia fazer tudo isso — telha, tijolo e casa. Antigamente. Hoje não pode mais pegar no pesado. Mas ainda sabe arrumar uma casa. Temo respingá-la, enodóa-la, sujá-la com o suor do meu rosto. E eu estou é suado. Pingando. Preciso tomar um banho. Deixo a sala e caminho na direção da porta em frente. Vou para o quarto onde está a minha maleta, para pegar toalha, sabonete, xampu, pente, meu kit-viagem. Um banho, por favor. Água, muita água. Urgente.

Terceira: o quarto está cheirando a mulher. A cama feita, uma muda de roupa pendurada num cabide, um vaso de planta à janela, a toalha de banho arrumadinha nas costas de uma cadeira. Bem, eu deixei a maleta aberta, e joguei algumas coisas sobre a cama. Não posso reclamar se foram mexidas. E foram. Com as melhores intenções, tenho de admitir isso. Alguém está cuidando de mim. E não são os assaltantes, com certeza. Eles não seriam tão gentis a ponto de aprontarem o meu ninho — o repouso do guerreiro. Mas quem, então? O meu pai? Só se ele agora anda usando perfume de mulher.

Quarta surpresa: pego o meu kit-toalete, o que inclui naturalmente uma cueca lavada, deixo o quarto e entro no corredor, na direção da sala de jantar. É lá pra dentro que as coisas estão acontecendo, que tudo vai se esclarecer. Ouço vozes. Sim, sim, sim, tem mulher nesta casa. E conversando alegremente na cozinha. O almoço promete. Vai ser uma festa. Esse velho...

Quinta: chego à sala de jantar. Há uma toalha bordada, linda, sobre a mesa, antes coberta de poeira. E pratos, talheres, guardanapos, copos, caprichosamente arrumados. A cristaleira brilha, impecável. O velho relógio de cuco, que parecia anterior à existência do próprio tempo, balança o seu pêndulo, em pleno funcionamento. Deram-lhe corda — era só do que precisava. Flores à mesa: rosas vermelhas e brancas, as do bem-querer. Janelas abertas, e outra porta escancarada, dando para o quintal, permitindo a invasão do sol, da claridade. Luz, muita luz. Já não se morre mais, não é, velho? Minha roupa suja foi lavada e seca lá fora, num varal — eu vejo isso através de uma janela. É mordomia demais para um anônimo passageiro em trânsito, um filho obscuro, da ninhada final das gestações: mamãe e papai geraram um contingente, antes de se ocuparem de mim. Por que tanto trabalho por minha causa, gente boa? Pra que tanta homenagem? Não, eu não sou o primogênito. Não me chamo Nelo. Senhoras e senhores, lamento informar que Vossas Excelências estão banqueteando o filho pródigo errado.

Artes do Exmo. Sr. Prefeito? É, toda essa arrumação pode não passar de uma armação do nosso digníssimo mandatário, que enviou uma de suas empregadas pra cá, emprestou toalha de mesa, pratos e talheres, e, na maior cara de pau, comparecerá ao almoço, para o qual não foi convidado, esperando comprar o meu voto, digo, o meu engajamento, apoio ou lá o que seja, para a sua campanha pela manutenção da agência local do Banco do Brasil, como se eu tivesse algum poder, a mínima capacidade de influenciar nas decisões federais. Logo eu, um bancário como outro qualquer, e já na fila dos que podem levar um pé na bunda a qualquer momento? Será que o meu pai caiu na sua lábia, aceitando os seus favores? Já não te conheço, ô velho. Não dá para imaginá-lo caindo em tal esparrela. Como se ele não estivesse cansado de saber o quanto os políticos são matreiros, insidiosos, enxeridos. Insinuam-se pelas bordas, vão comendo pelas rebarbas, até conquistarem as bases, atingindo os seus propósitos, maquiavelicamente. Aquela história tão velha quanto o mundo, de que os fins justificam os meios. Calculo a artimanha da nossa autoridade máxima: o Exmo. DD. Ilmo. Sr. Prefeito não veio ele mesmo, em pessoa, para comandar o mutirão da faxina, e trazendo flores, toalha de mesa, pratos, talheres e demais acessórios indispensáveis para um ágape à altura do ilustre visitante, já que não é Deus para estar em todos os lugares ao mesmo tempo, dividindo-se em dois — um no hospital, abraçando os parentes dos agonizantes, dizendo-lhes palavrinhas animadoras, e o outro distribuindo sorrisos e tapinhas nas costas em louvor de um alto funcionário do Banco do Brasil recém--chegado. Por isso — pela sua limitação humana de não ser onipresente —, ele mandou a sua mais competente, quem sabe a mais sedutora, das suas empregadas, com certeza uma pessoa de múltiplos talentos, para quem o meu pai jamais diria um não, tão bem impressionado, tão deslumbrado e seduzido iria ficar com a sua presença. Alguém que há muito já conquistou o coração do velho. E o faz derramar-se aos seus pés, desarmar-se, entregando a alma ao diabo, por vias insuspeitas: uma operosa e gentilíssima empregada doméstica, o que neste fim de mundo quase totalmente rural ainda existe ou deve existir. E dona de poderes inimagináveis, comandando nos bastidores, por trás das portas. O artimanhoso Sr. Prefeito, espertalhão por ofício e vocação, pode até ter enviado também a sua própria mulher, as filhas e filhos — nem sei se os tem, pra falar a verdade. Deve tê-los, ora se não os tem. Mulher, dita esposa ou empregada, certamente tem, senão não teria me convidado para jantar em sua casa. Quanto a filhos, imagino-o dono e senhor de uma prole numerosa, como mandam os nossos costumes e tradições. Até onde minha memória alcança, estou numa fábrica de filhos, fornecedora de magotes para os grandes abatedores de carne humana lá pra baixo, mais adiante, nas bandas do Sul. "Cresce logo, menino, pra tu ir pra São Paulo." Os do insigne Sr. Prefeito ainda não foram. Por falta de idade ou de precisão. Estão aqui nesta casa, e aceitaram alegremente a incumbência de darem uma vassourada nela, como quem vai a um piquenique ou a um chá de caridade. Tudo pelo social. Pela causa: conquistar o velho rebelde, o senhor dos impropérios, adocicar a sua voz destemperada, aplacá-la. E por tabela arrebanhar uma ovelha desgarrada, o filho sumido que ora reaparece. Este Totonhim velho de guerra pode ser uma visita importante, quem sabe? Um representante do Banco do Brasil — em São Paulo! Ora, direis, o homem não pode mesmo ser a nossa salvação? Convoquemos o nosso cerimonial. E que haja empenho, profissionalismo e dedicação total, em nome da hospitalidade da nossa terra, da generosidade de nossa gente. O contribuinte pagará a conta. Como sempre.

Isso é uma coisa, cá pra nós, abominável. A outra é que, de cara, estou adorando encontrar a casa limpa, cheirosa e muito bem-arrumada. E mais ainda este cheirinho de mulher, que se espraia pelo ar. A voz de mulher que vem lá da cozinha. Animando e entretendo o meu pai. Pode ser que eu nem receba um esporro, tão ocupado ele tenha estado, sem se dar conta da minha demora. E já não chego ao ponto de acreditar que tenha sido o Exmo. Sr. Prefeito quem mandou lavar as minhas cuecas. Mas que essa limpeza toda é muito suspeita, lá isso é. E vamos em frente, para conferir.

(Agora uma lembrança me surpreende tanto quanto a minha própria sombra. O meu irmão Nelo, com toda a sua aura, lenda e fama, não foi merecedor de um almoço glorioso como este que me aguarda — e que começo a degustar pelo nariz —, na sua inglória volta a esta casa, há vinte anos. Sei disso porque morava aqui. Naquele tempo o meu pai vivia em Feira de Santana, nunca é demais lembrar, um bocado longe, em se considerando as condições das estradas, àquela época. Hoje é um tiro, tudo ficou perto, depois do asfalto, das linhas diretas. Quando papai apareceu, já era tarde demais para oferecer-lhe uma recepção digna de um hóspede lendário. Nosso pai chegou a tempo apenas de fazer-lhe a embalagem para a viagem — a derradeira jornada do filho mais amado. São as tais ironias do destino, mano velho: o senhor dos caixões agora se esmera com mãos de mestre nas artes culinárias, temperando um manjar que, com certeza, por toda uma vida, sonhou um dia poder servir a você. Azar seu. E sorte minha, por ainda pertencer ao mundo dos vivos, embora já tendo chegado à idade em que você enfiou o seu pescoço no laço de uma corda. Neste mesmo lugar. Nesta mesmíssima casa. Agora cheirando a um bom domingo de missa, batizados e casamentos. E pela limpeza, pelo cheiro no ar e o que vem da cozinha, já valeu a pena voltar aqui. O prazer que estou sentindo é inenarrável, não dá para descrevê-

-lo através de palavras. Começo a imaginar que você não teria cometido "o tresloucado gesto" se tivesse desfrutado os mesmos prazeres que estou experimentando. Pelo olfato. A não ser que você, quando voltou, já estivesse com todos os sentidos estuporados. Não pense, do fundo de suas desilusões, que essa é uma conversa fiada para tapear um defunto, que já não tem como reagir nem contra-argumentar. Beber, comer, amar, dormir, sonhar, ouvir música, ver um filme, uma peça de teatro, ler um livro, curtir tudo o que há de maravilhoso na natureza, o dia e a noite, as mudanças de estação, o sol e a lua, a chuva — quer dizer, desde que não se esteja no meio da rua —, a beleza do mar, o ar da montanha, a solidão da planície, uma paisagem à beira de um rio, os pássaros cantando, os bois nos pastos, as luzes das cidades, um papo no bar no fim da tarde, colegas de trabalho, gente, pessoas, coisas e animais, a volta pra casa, mulher, filhos e amigos, encontros fortuitos, lenços perfumados, lugares e países de sonho por conhecer, as descobertas e emoções de um novo dia, bem, já disse um filósofo: nada disso tem a menor importância no momento em que um homem decide que não vale a pena viver. E agora é tarde para lembrar a você as coisas boas da vida. Sim, a você, que não me deu uma oportunidade de lembrá-las, me fazendo perceber que os suicidas não dão chance de uma prova em contrário, de uma razão, uma só que seja, que os faça desistir de suas inelutáveis obsessões. Não deixam transparecer nada, nenhuma intenção... suicida. Foi assim com você, querido Nelo, que não me deu a menor pista. Nem sequer entendi o significado da sua barba por fazer. Eu só tinha vinte anos. O que podia entender destas coisas? E se nem hoje sou capaz de entendê-las, imagine com aquela idade. Agora, seu corno, você partiu mesmo desta para outra melhor?)

A surpresa das surpresas

Tronco nu, toalha enrolada à cintura, pernas de fora, pés descalços, apetrechos de banho nas mãos. Eis um homem à vontade, a esvair-se em suor, com todo o corpo ainda impregnado do sol e do calor que pegou na rua, sob um céu descortinado. Tirar a roupa e descalçar-se já foi um refrigério. Sentir nos pés o frescor dos tijolos — uma bênção. Mesmo assim, melhor seria estar agora no Polo Norte. Ou com a cabeça dentro de um congelador. O avô, que reinou nesta casa por décadas e décadas, morreu sem conhecer as delícias do ar-refrigerado. Seus sucessores também jamais pensaram em tal conforto. Saudades do clima frio do Sul do país, principalmente no inverno, com seus dias e noites aconchegantes. Haja água. E muito gelo. Mas esta casa nunca soube o que é uma geladeira.

O meu problema maior, porém, agora é outro. Como chegar ao banheiro sem ser visto da cozinha. Imaginemos que seja a primeira-dama do município quem esteja lá, conversando com o meu pai. Não vai pegar bem passar à frente de tão respeitável dama assim, em trajes menores. Nem de qualquer outra, autoridade ou não. Mulher aqui sempre mereceu respeito, no tocante à compostura. E todas devem esperar de mim, no mínimo, modos civilizados. Afinal, venho da civilização.

O banheiro fica depois da cozinha, a partir de onde a casa avança quintal adentro com uma calçada que serve de passagem, começando na porta da sala de jantar. Só que da cozinha dá para ver quem passa para os fundos da casa. Penso em duas maneiras de agir, calculando qual delas será a mais acertada. Primeira: dar uma corridinha. Lépida, rápida. Quando derem por mim, já passei. Segunda: me abaixar, para não ser visto pela janela. E quando passar pela porta? Aí é que está o problema. A cozinha tem duas janelas e uma porta que dão para o quintal. Não tenho saída. O jeito é voltar ao quarto e me vestir todo, para fazer essa travessia convenientemente arrumado. Isso, nunca. Com esse calorão desgraçado, quero mais é estar nu, debaixo de um chuveiro. Avanço, andando normalmente. A venerável dama que me perdoe, mas com quarenta graus ou mais à sombra, todos aqui deviam viver como os índios, "sem nada que lhes cubra as vergonhas", como no tempo do descobrimento. Os portugueses foram os que trouxeram essa mania de roupa, só porque na terra deles faz frio. E eles aportaram foi nesta nossa calorenta Bahia, este estado de mar, montanha, chapada e sertão, que imaginaram uma ilha. Bestial, pá!

— Totonhim! — Não deu outra. Acabo de ser visto à primeira janela. — Totonhim, olha só quem veio te ver!

Deste chamado não posso escapar, ainda que estivesse completamente nu, indiferente a tudo e a todos, louco varrido. Não vivi anos e anos sonhando com o meu pai me chamando? E não acordava sempre frustrado por não ser verdade? E mesmo assim não ficava contente, de alguma maneira? Sim, ainda tinha um pai, e, onde quer que ele estivesse, continuava gritando o meu nome. Sua sonora e terna voz elevava-se, poderosa, vencia distâncias, quebrava as barreiras da relação espaço-tempo, para chegar aos meus sonhos, reverberando em camadas de sons, ecoando uma única palavra, apenas um apelidozinho, inventado por ele mesmo: Totonhim-im-im-im--im-im-im. Como um grito numa caverna. Ou num abismo. Agora é real. A poucos passos de mim. Paro. E me debruço na janela, tentando esconder o meu corpo da altura dos cotovelos para baixo, cheio de pudores. E eis quem vejo, sorridente, afável, esplendorosa, me encabulando pelas minhas circunstâncias canhestras: ELA. A viúva. Aquela que o meu pai considerava a minha primeira namorada. E que devia tratá-la como uma nora, quem sabe para compensar a falta de filhas, netas e demais parentes à sua volta. E ela, correspondendo às suas atenções e sentimentos, trouxera meio mundo para cuidar da casa, limpá-la, dar-lhe brilho, asseio, espanar ripas e caibros, espantar os morcegos e os fantasmas. O batalhão está à mesa. Todos comendo, voluptuosamente. Batendo um prato de feijão, completamente entregues aos prazeres da gula. Com uma disposição igual ou maior do que a com que enfrentaram o pó e as aranhas. Não estou autorizado a vê-los como serviçais. Aqui nunca houve estas distinções, se bem me lembro, pelo menos na hora do rango. Trabalhadores e patrões se sentavam à mesma mesa. Costumes da roça, no meu tempo de menino. Todos comíamos juntos, os empregados e os donos da casa. Mas na verdade havia — também me lembro — dois tipos de pagamento aos trabalhadores: com e sem comida. Logo, pagavam pela democrática boia.

Será que cheguei para estabelecer as diferenças de classes? Aquela mesa, tão cerimoniosamente preparada na sala de jantar, tem um toque de exclusividade, de distinção, e não revela outra pretensão senão de ter sido reservada pra mim, o meu pai e a sua convidada especial, a promotora deste opíparo evento. Bom apetite, trabalhadores do Brasil. Recuperem as suas forças para novas batalhas. Avante, camaradas, brada a farinha no feijão. E que nunca lhes falte comida na mesa. Recobro-me deste pensamento lítero-político altissonante, beirando a demagogia (influência do meu encontro com o prefeito?), e dirijo a todos uma saudação banal:

— Oi, tudo bem com vocês?

Instintivamente tento corrigir esse tom impessoal, frívolo, mera retórica urbanoide, que de nenhuma maneira fazia justiça ao chamado do meu pai, ao suor derramado pelos homens e mulheres em seus esforços para limpar uma casa. E nada disso por dinheiro, eis o mais inacreditável. Tudo tão somente pelo prazer de fazer com que eu me sinta bem aqui. Feliz.

— Boa tarde. Como vão todos?

— Melhor do que nunca. Não está vendo?

Os voluntários da pátria para expedições de caça aos fantasmas caem numa gostosa gargalhada, a encher de vida a velha e solitária cozinha, devolvendo-lhe a alegria dos seus tempos ancestrais. Como nos meus melhores sonhos. Até parece um milagre.

Feliz mesmo quem está é o meu pai. É hoje que ele se acaba de tanta fartura, à mesa e no seu coração. Temo que se empanturre além da conta — de feijão e risada.

— Chegue à frente — ele saúda o filho retardatário bem ao seu estilo festeiro. Eis aí o último bom selvagem: um ser gregário. Eivado de amabilidade e senso de humor. — Você chegou na hora. Se demorasse mais um pouco, não ia achar nada. Pensei que você já tinha ido embora, pra voltar só daqui a vinte anos, na comemoração do meu centenário!

— E eu ia ser doido de perder a sua boia, velho? E se o senhor garante que vai ter outra desta daqui a vinte anos, pode contar comigo.

— Comigo também — saltita a arrebanhadora de braços para a limpeza e de bocas para a comilança. — Pode ir se preparando para a festa dos cem anos do seu pai. Este aqui vai ficar pra semente — ela diz isso acariciando o ombro do velho.

— E você, princesa, como vai?

— Até que enfim você fala comigo. Achei que já nem se lembrava mais de mim.

— Que é isso, menina bonita? Como que eu ia esquecer da sua lourice e de seus olhos azuis? Você continua a única loura desta terra?

— Ah! Para de falar bobagem e vê se se lembra do meu nome.

— Pois não, dona Inês. Inesinha, Inesita, ou simplesmente I. A dos cabelos de boneca de milho. E quem te chamava de Miss Bahia? Hein, princesa?

— Passou no primeiro quesito. Agora vá tomar banho.

— Falou, professora!

Finalmente corro para o banheiro, não sem antes mirar-lhe da cabeça aos pés — mais rechonchudinhos do que nunca, metidos num par de sandálias com uma única tirinha sobre os dedos e outra a prender-lhe os calcanhares, deixando à mostra as suas formas bem torneadas, como se dissessem: "Fetichistas, aproveitem. Locupletem-se. Comam com os olhos." Estava vestida adequadamente para um almoço num dia de calor, com discreta elegância: um saiote branco, de pregas, não exageradamente curto, revelando apenas uns poucos centímetros de perna acima dos joelhos — o que seria impensável numa moça recatada, vinte ou trinta anos atrás. E blusa de alcinhas, cor-de--rosa, a refrescar-lhe os ombros, parte das costas e, na frente, até a covinha dos seios. Como os cabelos estavam enlaçados atrás por uma fita, seu pescoço também ficava à mostra, pedindo um beijo, um toque, uma carícia. Certo, mirei-a de alto a baixo, temendo os estragos do tempo naquele belo corpinho que Deus lhe dera. E que, justiça seja feita, não era de se jogar fora, vinte e tantos anos depois. Entro no banheiro me lembrando de uma frase lida num livro — e isso já faz muito tempo — e da qual nunca me esqueci: "Ela era ainda uma bela mulher de trinta anos." Quantos anos teria agora a Inesinha? Trinta e cinco? Beleza reencontrá-la enxutinha, bem conservada, refrescante, apetitosa. São os ares do campo. E algum trato da cosmética universal. Claro que ela estava maquiada, embora discretamente, como convém a uma mulher recatada desta terra, do esmalte nas unhas à depilação das pernas, axilas e sobrancelhas, da pintura à sombra do sorriso e sob os olhos, ao batom ressaltando a curvatura dos lábios. Sim, ela era ainda uma bela mulher de trinta, trinta e três, trinta e cinco ou trinta e sete anos. Deixo a água rolar. Viva o chuveiro, na terra do sol. Começo a cantar:

— "*Besame, besame mucho como si fuera esta noche la última vez...*"

Alô, vovô! Se não há mais um só comunista para remédio, pelo menos sobrou um último bolerista, este desafinado cantor de banheiro que vem a ser seu neto. "*Quando un día la encontré/por vez primera/con pasión la saludé/ desta manera/Vaya con Dios/mi vida/vaya con Dios/mi amor...*" E agora uma guarânia, lá do distante Paraguai, em homenagem às minhas queridas e inolvidáveis tias solteironas, tão sentimentais, coitadas, a se esgoelarem no avarandado, mirando o poente merencório, na passagem do dia para uma noite sem a menor promessa de amores: "Meu primeiro amor, que tão cedo acabou... e logo morreu." Sua bênção, meu padrinho. Obrigado por ter existido. E por haver legado uma casa cheia de recordações de um tempo em que a vida parecia tão inocente quanto as letras dos boleros e guarânias. E a velha casa revisitada só tem de luxo um chuveiro, debaixo do qual eu canto, com a alegria de quem descobre que ainda não perdeu todas as referências.

E por falar em recordações: será que a doce Inesita ainda guarda, na sua bela cabecinha de boneca de milho, a lembrança do dia em que segurei os seus pés rechonchudinhos, para que ela subisse num umbuzeiro? Fiquei lá embaixo, no chão, apoiando com as mãos a sua escalada na árvore, e descobrindo, pela primeira vez, o tesouro que ela escondia sob as saias, quando minhas vistas alcançaram as suas calcinhas. Saberia ela que esta foi a minha primeira visão do paraíso? Ainda se lembrará do que aconteceu depois da sua descida daquele pé de umbu? Pois eu me lembro que foi naquele bendito dia que meu passarinho bateu na porta da sua gaiola. Foi só uma brincadeirinha, um faz de conta, mas que delícia, que calorzinho gostoso tinha aquela portinha. Ela levantou a saia, abaixou as calcinhas e disse: "Vamos botar os nossos passarinhos pra brigar?" E me mostrou que também possuía um passarinhozinho, pequenininho, todo arrepiado, doido pra brigar. "Passe o dedo aqui, ó, pra você ver." E depois: "Agora encoste o teu passarinho aqui." E assim ficamos um bom tempo, brincando e vendo o mundo revirar. A cabeça do meu passarinho era calorosamente, esplendidamente acariciada na porta da sua gaiolinha, tão quentinha. E o melhor ainda estava por vir, por descobrir. Foi muito mais tarde, quando ela ficou mocinha e em torno da sua gaiolinha nasceu uma touceira de cabelos louros, que o meu passarinho caiu de vez no seu alçapão, indo direto para a gaiola, mais para dentro, para um fundo invisível, apertado, ainda mais quente. Foi aí que vi a Terra virar e revirar. E como o mundo era emocionante, quando os meus olhos viravam e reviravam e o meu passarinho saltitava dentro da gaiola desta inesquecível Inês, Inesinha, Inesita, a dos cabelos de boneca de milho, até os que protegiam o seu tesouro engaiolado, enquanto ela gemia e ensanguentava-se, de prazer e dor. "Você me ama, você me ama, você me ama?" Sim, sim, sim. "Perdi meu cabaço, seu cachorro. Está doendo muito. Você vai continuar gostando de mim?" Sim, sim, sim. Agora mais do que nunca.

A minha pombinha branca fugiu do ninho...

Boleros e guarânias. Tangos e sambas-canções. Valsas. E o forró rasgado. O primeiro amor, sem camisinha, antes da era da Aids. Uma casa velha, do tempo da missa em latim. O retrato oval do meu avô, o que tanto temia o comunismo — arte dos hereges — e a devassidão. Os Românticos de Cuba, que deviam ser paraguaios, cantavam boleros vindos de uma ilha devassa, através das ondas sonoras do Serviço de Alto-Falantes A Voz do Sertão. Meu avô rezava pela salvação das almas do povo sem Deus. Meu padrinho: o comunismo acabou, o senhor está morto e, pelo andar da carruagem, até Deus também já morreu, de desgosto pelas esculhambações deste mundo. O povo de Deus arde no inferno, nos quatro ou cinco cantos do planeta. E eu peno no purgatório das minhas lembranças. Cantando um bolero, que ninguém é de ferro. Pela alegria de saber que o meu pai ainda está vivo e cheio de entusiasmo pela vida, do alto de seus oitenta anos, como se nunca tivesse sentido uma saudade nem padecido um sofrimento. E, naturalmente, pelo reencontro com a minha primeira namorada — isso inspira uma letra de bolero, falando de amor e esperança, como todos os que já foram feitos e cantados. *"Besame..."*

Agora vamos ao famoso almoço. Meu pai é quem está certo: "Isto é que tem futuro."

Apenas um caco de telha

1.

O almoço correspondeu plenamente às expectativas. Foi de ajoelhar e rezar, chamando por mamãe. Pena que ela não tenha vindo. Ela e sua numerosa prole, a garantia de casa lotada. É verdade, senti falta de minhas irmãs e dos meus irmãos, de suas vozes, risadas, exclamações, brincadeiras e desentendimentos à mesa. Aí, sim, a festa seria completa. Já não se fazem reuniões de família como antigamente. Agora é cada um no seu canto, cuidando de sua vida. Se não tem tu, vai tu mesmo. Ou, como dizia o velho povo: abelha ocupada não tem tempo para tristezas. Ocupei-me do generoso manjar à minha frente com deleite e voracidade. Ó, poetas, não há metafísica no mundo que valha um prato de feijão temperado sabiamente por mãos octogenárias. E eu que pensava que tinha vindo aqui para passar a pão e água:

Pão seco de cada dia
tropical melancolia

Em vez disso, um cheirinho bom de alecrim a dar água na boca. E um molho de caldo de feijão, palha de cebola verde e pimenta-malagueta a assanhar as papilas gustativas, a provocar o apetite. Fome no Norte é mato. Ao norte e ao sul do meu estômago.

Tomara que um dia, um dia seja,
seja de linho a toalha da mesa.

Tomara que um dia, um dia não,
não falte na mesa arroz e feijão.

À mesa não se canta, Totonhim, na hora das refeições. É faltar com o respeito. À mesa, reza-se, como o teu pai, para que nunca falte comida — para ele e todos os seus, a essa terra, ao mundo. Cara feia, triste, desconsolada é fome, Totonhim. Fome, a irmã da morte. As duas palavras mais feias que já foram inventadas. Cara alegre, mô fio, é barriga cheia.

O meu pai se benzeu, logo que se sentou no seu lugar de sempre, à cabeceira. Pensei: é agora que ele vai tirar o chapéu. Nem assim, na hora de rezar? Apenas tocou na aba do chapéu, ao terminar o sinal da cruz, num gesto que significava uma mesura para Deus Nosso Senhor. O chapéu subiu um pouquinho e desceu rapidamente, não dando tempo de percebermos a sua proeminente calvície, guardada a sete chaves. Em seguida, pôs os cotovelos na mesa, entrelaçou os dedos, apoiou o queixo sobre eles, curvando o rosto para baixo, ensimesmado. E rezou. Baixinho. Depois disse:

— Agora vamos aos trabalhos. Bom proveito.

Não exigiu que eu também rezasse, como em outros tempos. Mudou o mundo ou foi o meu pai quem mudou?

Enquanto ele rezava, Inesita e eu ficamos à espera, em silêncio, trocando olhares que tanto podiam dizer muito ou absolutamente nada. Ela esboçou um sorriso quase imperceptível, nos cantos dos lábios, numa discreta reação por estar sendo encarada de frente naquele instante tão cerimonioso. E eu pensando, como um adolescente: "Nos teus olhos altamente perigosos/vigora ainda o mais rigoroso amor/a luz de ombros puros e a sombra/ de uma angústia já purificada." Vontade de segurar os seus pés outra vez, para que ela suba num pé de umbuzeiro, deixando-me contemplar o panorama embaixo das suas saias, até as vistas se perderem em suas calcinhas transparentes. E de levá-la ao Cruzeiro dos Montes e, lá em cima, soltar os seus cabelos ao vento, à luz da lua, sob as bênçãos de São Jorge. De rolar com ela na relva, ao pôr do sol. Ou arrastá-la até onde nenhum olho pudesse nos ver, na torre da igreja, por exemplo. Nossa Senhora do Amparo que nos abençoasse. Virgem Mãe de Deus, valei-me. Fazei com que se cumpram os meus desejos. O meu pai pôs o perigo à mesa. Um prato forte demais para um dia de calor escaldante. Entre uma garfada e outra me delicio com a magnífica visão da covinha de uns seios promissores, de ombros e braços desnudos, de uma lourice dourada nestes descampados inclementes, de um corpo enxuto em plena maturidade, com tudo em cima, tudo no lugar, rosto, braços, seios, pernas, barriguinha, pés, bumbunzinho ainda empinadinho, salve, salve, Santa Marilyn Monroe dos Campos! A mãe de Inesita veio de Pernambuco. Seu pai também nasceu mais lá pra cima, num buraco qualquer no mapa do Nordeste do Brasil. Tinham pele, cabelo e olhos de *viking*. Deviam possuir sangue holandês nas veias. Traziam no corpo a lembrança das invasões holandesas, que tanto estudamos na escola, mas já esquecemos. Impossível não se destacarem, como aves raras, em meio a um rebanho de caboclos. Pareciam uns deuses. Ou animais pré-históricos. Como, quando e por que vieram dar com os seus costados nestes ermos? Não dizem que o meu tataravô veio de Portugal? Conta a lenda: ele chegou, não se sabe se a pé ou a cavalo, derrubou árvores, fez uma casa, fincou uma cruz, enfrentou onças-pintadas no braço, laçou uma índia na mata, construiu uma capela e fundou um lugar e um povo. E é graças a esse destemido aventureiro lusitano e à indígena laçada no mato que estou aqui, para contar a história. E eu? Não estou vindo de São Paulo, que também fica um bocado longe? Mas isto não chega a ser propriamente uma aventura, pois já não oferece perigo algum. A não ser o de o avião cair ou o carro capotar na estrada, no trecho final da viagem. Contentemo-nos com as histórias do velho povo. Este, sim, portava o emblema rubro da coragem.

— Em que pensa tanto, Totonhim? Renove o seu prato. Coma mais, coma mais. Pare de pensar na vida, que a morte é certa. E quem pensa muito não casa.

— Ou não descasa.

Eles riram da minha resposta. Eles: o meu pai e a sua convidada especial. Pensei: é agora que ela ou os dois vão me perguntar se sou casado, se tenho filhos, por que não os trouxe, essas coisas. Não perguntaram. Em compensação, me mordo de curiosidade em relação à Inesita. Teria um namorado? Um amante? Enfim, alguém, um homem ou uma mulher? Não dava para imaginá-la vivendo como uma eterna viúva, uma freira, sei lá o quê. Será que ainda é vista como uma desonrada, uma pecadora sem indulgência? Cruz-credo, casou-se de véu e grinalda, toda de branco, fingindo-se inocente, puríssima. E não era mais uma virgem imaculada. Ave Maria! Por que insistiu em continuar vivendo aqui? Por amor à terra em que nasceu? Pelo seu emprego no ginásio? Pela barra do dia mais bonita do mundo e o pôr do sol mais longo do planeta? Pelo cheiro do alecrim, bananeiras no quintal, as goiabas dos vizinhos, a umbuzada e o doce de abóbora? Porque foi aqui que enterraram o seu umbigo e é aqui que os seus pais estão enterrados? E os seus irmãos, não foram todos para São Paulo? E ela, que estudou na capital e é muito mais preparada do que eles, por que ficou? Terei a coragem — ou o direito — de lhe fazer todas estas perguntas? Inês, Inesinha, Inesita, querida I: só me resta saber se ainda nutres por mim os mesmos sentimentos e desejos que subitamente me acossam — por ti. E tu, que hoje deves contar apenas com a amizade inabalável, o inegável carinho — ou seria a compaixão? — de um octogenário, um ancião bêbado e desmiolado, ao que dizem, sim, e tu, o que me dizes?

Aleluia! O meu pai ainda não tocou em uma única gota de álcool. Também ainda não vi nenhuma garrafa de bebida alcoólica, cheia ou vazia, nesta casa. Alguém está mentindo pra mim. Ou ele, ou toda a família. E o resto da humanidade.

Esse velho. Ei-lo de novo. A me lembrar que depois do almoço iremos à sua casinha na roça, lá em cima, depois da Ladeira Grande, para eu matar a saudade do cheiro do tabuleiro. E disse mais: nada de carro. Iríamos a pé, que era como ele gostava de andar. Vendo o mundo devagarinho, sem pressa nem solavancos. Baforando o ar livremente, sentindo o perfume do mato. Claro que a Inesita estava convidada para essa peregrinação, programada desde a hora em que cheguei. Ela, porém, não iria poder nos acompanhar, pois tinha que trabalhar. Desculpou-se, alegando que já estava atrasada. Disse para o meu pai:

— Volto à noite para ajudar o senhor a lavar os pratos.

E eu:

— Deixa comigo. Essa tarefa vai ser minha. Por favor, não se preocupe com isso.

— Não quer que eu volte?

— Que é isso? Claro que queremos que você volte. Mas não para lavar prato.

Àquela altura os trabalhadores, os impávidos e providenciais integrantes do batalhão de caça aos fantasmas, já haviam dado uma geral na cozinha, deixando pratos, talheres e panelas tinindo. E todos foram embora, de barriga cheia, contentes da vida. Só havia por lavar as louças sobre a mesa. Não ia ser assim nenhum trabalho descomunal. E não foi. Ainda mais contando com a ajuda do meu pai, que, definitivamente, não conseguia ficar parado um só momento, sempre procurando o que fazer. E ele veio atrás de mim, não desgrudou um minuto, desde a partida da Inesita, que se despediu dizendo para eu passar no ginásio mais tarde. Ela ficava lá até de noite.

— Venha aí pelas oito horas. É quando devo estar menos ocupada, para poder conversar com você direito.

Às oito em ponto, disse para mim mesmo. Quanto mais ocupação ou assunto eu tivesse para esta noite, melhor. Só em pensar que a noite vinha aí, já me dava arrepios. Os fantasmas. Todos de uma vez. No meu quarto.

Ela se retirou, apressada e eu fiquei com os pratos para lavar, com a ajuda de um auxiliar calejado. E uma lombeira derrubadora.

Tarefa cumprida na cozinha, o velho me contando causos e mais causos, cada um mais engraçado do que o outro, tive que interrompê-lo, meio a contragosto, para dizer-lhe que ia puxar uma pestana.

— E o nosso passeio?

— Estou pensando aqui que era melhor a gente deixar isso para a tardinha ou amanhã de manhã. Vou descansar um pouquinho e depois quero ir lá onde ficava a casa em que nasci. Quer vir comigo?

— Eu? Nem morto.

— Por que, velho?

— Ora, por quê! Não me pergunte. Mas vá lá. Eu espero você aqui.

— Não vá fugir, não, hein, papai?

— Pode ficar sossegado. Eu espero você.

Bendita lombeira. Caí na cama e não custei a dormir, embora tenha ficado um tempinho olhando para o teto, imaginando coisas, relembrando. Recordando. Revendo a cara de um enforcado. Um velho gemeu e tossiu. "Quer um xarope, padrinho? Ou um chá de limão com alho e mel?" Mulheres discutiam, brigavam. Crianças brincavam, na maior algazarra. Esta casa devia mesmo estar cheia de vozes, passos, sombras, risos e choro. Não, eu não podia dormir muito nesta tarde, senão iria passar a noite em claro, atormentado.

Se em plena luz do dia eu já pressentia os fantasmas me rondando, o que não poderia acontecer, quando a noite chegasse?

A voz de Nelo:

— Obrigado, Totonhim, por ter deixado um lugar na cabeceira da mesa pra mim. Papai queria que você se sentasse lá, pra ficar frente a frente com ele. Mas você preferiu ficar ao lado dele, para poder ver o quintal que a nossa avó, com a minha ajuda, rega toda noite. E assim eu pude ocupar a cabeceira, com todo o direito de irmão mais velho. Que belo almoço, hein? Participei de tudo, com muita alegria. Estou mesmo muito contente com a sua volta e por ver nosso pai tão feliz. E a moça, é sua namorada? Ela é muito bonita. Você tem bom gosto. Agora durma um pouco. Descanse, descanse. De noite a gente se fala. Temos muito o que conversar.

Meu avô:

— Ainda bem que não empurraram um bacalhau ensopado de azeite de dendê pela tua goela, não foi, Totonhim? E desta vez eu não ia poder te salvar. Ninguém escuta os mortos. Fazem que não ouvem o que nós dizemos.

Minha avó:

— Viu como minhas plantas e flores continuam bonitas? Quando escurecer, vou pegar umas rosas pra enfeitar o teu quarto. As que colheram de manhã em tua homenagem já estão murchando. Ai, que calor. Isto aqui até parece o purgatório.

Pensei em Inesita, tentando me lembrar dela quando menina. Foi aí que consegui adormecer.

Sonhei com ela, de faca em punho para me capar, dizendo:

— Ou você fica aqui comigo para sempre, ou te corto esse troço, em pedacinhos.

Acordei antes que ela cumprisse a sua ameaça.

Para compensar o sonho ruim, uma boa notícia: choveu enquanto eu dormia.

Meu pai se abriu em sorrisos. Parecia mais alegre e saltitante do que os passarinhos nos fundos da casa, pulando de galho em galho.

— Eu não disse que ia chover? Você trouxe a chuva.

— E agora? Vão achar que sou o rei da chuva?

— Foi só uma pancada forte e rápida. Um aviso de que o rei da chuva vem aí. Prepare-se para a festança. Agora olhe só como as plantas estão felizes, de banho tomado, todas muito bem lavadinhas, refrescadas.

— Escute aqui, papai. Me disseram que aqui não chove há dez anos. E no entanto notei que os pastos estão verdes, embora seja um verde meio rasteirinho, quer dizer, não é lá essas coisas de floresta amazônica ou bandeira nacional. Mas verde é verde. E eu esperava encontrar tudo seco.

— É, você tem razão. Tem dado umas chuvadas de vez em quando. Só que a sede da terra é tanta que chupa a água rapidinho. O verde que você está vendo é de uma trovoada que desabou na semana passada. Mas, se passar mais uns dias sem chover, volta tudo a ficar estorricado.

— Ou seja, ainda não chove o bastante pra fazer o pessoal que foi pra São Paulo pegar o caminho de volta, não é?
— Eis aí. E você? Ainda vai pegar a estrada? Deve estar enlameada.
— Vou, sim. Os meus tênis velhos aguentam muita lama. E vê se me espera. Não fuja, não, tá, velho?
— E por que eu ia fugir?
— Sei lá. Pra ficar junto das suas galinhas.
Ele riu. E disse:
— Enquanto você vai lá, vou tomar um banho.
Registrei bem isso: "Enquanto você vai lá." Para não dizer: "Onde você nasceu. Onde foi a nossa casa." Que ele mesmo havia construído, alicerce por alicerce, tijolo por tijolo, adobe por adobe, esteios, paredes, caibros, ripas, portas, janelas, telhas e o pau da cumeeira. A sua obra maior de mestre carpinteiro, mestre pedreiro, mestre marceneiro, mestre oleiro. Tem lá suas razões para não querer se lembrar dela, eu sei.

2.

Durante o almoço não falei do assalto. E nem sei por quê. Simplesmente não falei. Inesita também ficou na dela. Não comentou nada. E não creio que não soubesse o que aconteceu. Preciso passar no hospital, para ver como os feridos estão passando. São meus parentes, como quase todo mundo aqui. Irei visitá-los, sim, mas à noite. Tenho mesmo que estar muito ocupado. À noite!

3.

À noite telefonarei para casa. Que bom, mais uma providência a tomar — à noite. Alô, alô, São Paulo! Saí ontem, mas já parece um tempão. Não, não, ainda não deu para sentir saudades de uma *pizza* à napolitana. Nem do papo no bar no fim da tarde. Oi! Como vão vocês? Pena vocês não terem vindo. Sim, sim, ano que vem, ano que vem. Quando todos aí em casa estiverem de férias. (E se eu ainda tiver emprego.) O vô? Está ótimo. Parece o homem mais feliz do mundo. E o lugar está muito mais bonitinho do que eu imaginava. Todos aí estão bem? Por aqui todos bem. Tudo bem.

Tirante o meu medo da noite.

4.

Não vai dar para encarar esta noite de cara limpa. Vou chamar o meu pai para tomar um porre.

5.

E eis que chego à boca da estrada tantas vezes palmilhada na sola dos meus pés. Aqui me queimei na areia quente. E escorreguei na lama. A caminho da escola, da feira, da venda, da missa. A última vez em que pisei neste chão foi há vinte anos. Com um irmão bêbado pendurado no meu cangote e me dizendo para chamar um táxi para levá-lo a Itaquera ou Itaim, perto de São Miguel Paulista, onde esperava encontrar a mulher e os filhos. Fazia um sol de rachar e ele dizia que estava chovendo. "Chove verde nos meus olhos, Totonhim. Eu estou vendo." Ele estava usando uns óculos de sol. A chuva caía dos seus próprios olhos. Foi uma caminhada louca, terrível, ele insistindo o tempo todo com a história da chuva e pedindo que eu chamasse um táxi, depressa. Quando lhe disse que táxi aqui só se fosse o lombo de um jegue, ele se enfureceu. Não, eu não era seu irmão coisa nenhuma, nem seu amigo nem nada. Só se acalmou ao chegarmos à ladeira de onde dava para avistar a casa em que nascemos e que ainda continuava de pé, mas abandonada, sem viv'alma em seu avarandado ou lá dentro. Foi então que o meu irmão Nelo tirou o braço do meu pescoço — ufa! —, limpou os óculos e se refez inteiramente, como se tivesse se curado da bebedeira à simples visão daquela casa. Emudeceu. Depois de muito olhar para a casa sem dizer uma única palavra, perguntei-lhe se não queria ir até lá. Disse: "Não. Vamos voltar." E se calou de novo. Para sempre. Foi no dia seguinte que ele se matou.

Agora refaço o caminho com a certeza de que não é mais o mesmo. Parece intransitável, tantos são os seus buracos e regueirões. Por aqui passavam carros de bois, tropeiros, vaqueiros, cavaleiros endomingados, homens, mulheres e meninos, a pé, em bando, e também caminhantes solitários. Um dos meus entretenimentos, para passar o tempo quando ia ou vinha andando sozinho, era observar as marcas deixadas na areia por sapatos, alpercatas e pés descalços, como se fossem desenhos, e cada um diferente do outro. E essa estrada também marcou os meus dedões dos pés — tropecei muito em suas pedras. As tais pedras no meio do caminho, e aqui em sentido literal, nada figurado. Literalmente: doía pra burro. Machucava mesmo. Arrebentava as cabeças dos dedões. E se a estrada já foi mais do que parcialmente engolida pelas erosões, o mundo às suas duas margens também agora é outro, pertencendo ao mesmo estado. De abandono.

Já não vejo casas, gente, bois, ovelhas e cavalos nos pastos, galinhas e cachorros nos terreiros. O que há são as cercas de macambira e arame farpado, cancelas trancadas a cadeado. "Muitos pastos e poucos rastos. Uma só cabeça para um só chapéu. Um só rebanho para um só pastor." Nenhum rebanho, na verdade. Nenhum pé de feijão. Quem quiser que compre no supermercado.

E eu sei quem foi comprando cada tarefa de terra, uma a uma, até ficar com tudo, trancar tudo, à medida que os antigos proprietários iam morrendo, ou ficando velhos e doentes, como o meu tio Zezito e a minha tia Anita, agora uma esmoler, ou endividados num banco — como o meu pai —, ou decidiam ir embora, por falta de braços para o arado e a enxada. O dono do supermercado. Ele mesmo. O que levou uma coronhada na cabeça e está agonizando no hospital, com suspeita de fratura no crânio. Por que ele não plantou um único pé de qualquer coisa em suas terras a perder de vista? Vai ver só precisa das escrituras delas como aval para a captação de recursos para novos negócios e transações. Ou também pode ser que esteja à espera de encontrar nelas muito ouro, petróleo, água mineral ou lá que mina seja. Outra possibilidade é a de estar esperando por dias melhores, com chuvas regulares e muita bonança, trazendo de volta os braços que estão em São Paulo e em todo um mundaréu lá pra baixo, a partir de uma cidade chamada Alagoinhas, daqui a quinze léguas. Última esperança: a de que os que se foram, ao retornarem, ainda queiram pegar num eito, como antigamente. E se ninguém quiser mais saber de roça? De que servirão estas terras? Adiantará trocar o arado pelo trator? Sem um só pé de feijão, de que vive esse lugar? Do funcionalismo público? Um emprego na Prefeitura, na Câmara de Vereadores, nos dois hospitais, escolas e ginásios, na agência do Banco do Brasil, Correios e Companhia Telefônica. Mais uns caraminguás nas casas comerciais, e assim vai-se levando a vida. Eu quero mesmo é ver ruas e ruas de feijão e milho, muito capim-sempre-viva, capim-gordurinha, capim-de-angola, boi pastando e vaca leiteira sendo levada para o curral. Amanhã cedo eu queria era tomar uma caneca de leite com sal, ordenhado diretamente do peito da vaca, sem a intermediação da Parmalat. Esqueça isso, Totonhim. Você não mora mais aqui. E não sabe de nada.

É, de nada vezes nada.

Chego à cancela. O cachorro não veio correndo de casa, pulando de alegria, para me receber. E a cancela está presa no mourão, por uma corrente. Com algum cuidado e muito sacrifício — ai, minhas pernas — consigo saltá-la. E vou subindo a ladeirinha, aqui e ali encontrando algum vestígio do caminho que perfazíamos todo dia, agora encoberto pelo mato. Não será difícil encontrar o lugar onde a casa foi plantada, tão solidamente, pelo meu pai. O pé de fícus que reinava à sua frente, encopado e sombreante, ainda continua no mesmo lugar, como única referência de um tempo perdido para sempre. A partir dele, tento divisar o espaço da casa. O avarandado. A sala de visitas. O quarto dos meninos. A sala de jantar, o quarto dos meus pais, o quarto das meninas, o corredor para a cozinha, a dispensa, o paiol de feijão, milho, farinha e cachos de banana, o banheiro, a varandinha aos fundos dando para um quintal de flores, a casa de farinha logo ao lado, um pé de mamoeiro perto da janela da sala de jantar, pés de juazeiro, cajazeira, graviola, araticum e pinha no outro lado, em volta da casa, dando frutas e sombra. E nada. Nada além da grama, que encobriu todas as marcas da nossa existência aqui. Onde ficava mesmo o esteio com a gaiola do meu canário amarelo? E o canto da rede em que eu me balançava, vendo o mundo subir e descer? E a minha cama, onde eu sonhava com as cidades? Nada. Nada além de um caco de telha, que pego e fico com ele na mão, alisando-o. Bem que minha irmã Noêmia, ontem mesmo, havia me avisado:

— Totonhim, não vá lá, não. A única coisa que você vai encontrar é um caco de telha. Eu peguei nele, Totonhim. E chorei como uma criança. Imagine, Totonhim, o que é ver toda a nossa história reduzida apenas a um caco de telha.

Quantos sonhos, quantos sonhos, eu me digo, andando de um lado para o outro, com o caco de telha na mão. Um caco de uma telha com certeza feita pelo meu pai, na sua olaria, ali embaixo, ao lado de um tanque. Quantos sonhos, quantos sonhos, agora falo em voz alta, aos berros, me dirigindo ao vento, à grama, ao pé de fícus, ao caco de telha, ao pó. Minha irmã Noêmia disse que eu também ia chorar, quando o encontrasse. Não, não estou chorando. Mas é pior. Acho que estou ficando louco. Olho em volta, procurando localizar as casas das vizinhanças, dos avós paternos e maternos, dos tios, de todos os meus parentes. Só restam as árvores que ficavam em torno de cada uma delas. Começo a gritar pelos nomes das pessoas de que eu mais gostava, me lembrando do tempo em que, quando eu gritava, alguém respondia. Era o chamado de um menino para outro, para um ir dormir na casa do outro. Para brincarem. Agora é um grito que ecoa no ar, se perde loucamente no espaço. Um grito para ninguém.

No dia em que foi embora desta casa... desta que era uma casa, a sua casa, o meu pai bateu a cancela, sem olhar para trás. E nunca mais voltou aqui. Não lhe direi nada sobre o caco de telha. Vou deixá-lo no mesmo lugar em que o encontrei, até que as águas da chuva o arrastem, na correnteza. E assim, de nós, do nosso tempo aqui, não restará mais nada. Nem o caco de telha.

E eu que sonhei tanto com essa casa, como o lugar... deixa pra lá.

Na boca da noite

    Ao saltar a cancela, no retorno da minha visita ao pedaço de terra onde o meu umbigo havia sido enterrado, assim que a parteira passou-lhe a tesoura e o meu pai apressou-se em sepultá-lo nos fundos da casa, como fez com o de todos que nasceram antes e depois de mim, comecei a achar que eu era um homem de sorte. Porque tive muita sorte mesmo de entrar e sair ileso, sem levar um tiro nas costas ou ser preso, por invasão de uma propriedade alheia. A que em meus sonhos aparecia como ainda sendo *nossa*. A *minha* casa no campo, em algum lugar do Brasil.
    E já que não havia o perigo de ser confundido com um representante dos sem-terra, a sondar áreas abandonadas para futuras ocupações, demorei mais um pouco na contemplação daquelas pastagens, seguindo pela estrada afora. Queria ver se a casa da finada dona Zulma ainda estava no mesmo lugar. Tinha boas e más lembranças daquela estrada, da velha senhora e sua casa, do jardim que formava uma espécie de muralha protetora, dos seus ferozes cães, que ficavam mansinhos quando ela os sossegava, dos cortiços das abelhas pendurados nos caibros da

varanda, do relógio de cuco na parede da sala principal, entre o Sagrado Coração de Jesus e o Sagrado Coração de Maria, dos beijus de tapioca saindo quentinhos do forno, dos pés de limoeiro, das cantigas, cantadas ao violão pela sua filha Zilah, que nas noites mais animadas porfiava com a viola do velho Benjamin, um viúvo solitário que morava numa casinha triste, sem ninguém, logo adiante. Nessas noites, além de café e comidinhas, a dona da casa costumava servir também um licorzinho de jenipapo. Dava prazer visitá-la e ir ficando por lá até altas horas.

A velha Zulma, uma mulher franzina e muito alinhada, enérgica, sem papas na língua, era a última pessoa no mundo que alguém poderia ter como inimiga. Que não a contrariássemos, pois ela soltava os cachorros. Já o marido, o seu Quirino, viria a ser exatamente o oposto, em temperamento e estilo. Pacato, de fala mansa, apaziguadora. Cordeiríssimo. E só ia à rua ou à casa de um vizinho — o que era raro — muito bem vestido, e sempre metido num paletó. Um lorde. Que nunca se mexia para intervir nos momentos em que a mulher rodava a baiana, cuspindo marimbondo. Lavava as mãos. Por isso diziam, com um risinho malicioso, que naquela casa estava tudo trocado. A mulher era quem devia vestir calças. O macho era ela.

E dona Zulma não foi só a única mulher das redondezas a possuir um relógio de cuco, que badalava as horas como um sino e cantava como uma coruja, uma novidade fantástica para uma terra que se guiava no tempo pela posição do sol, pelo canto dos galos e o cacarejar das galinhas. Ela também havia granjeado a fama de ter sido a única a se casar pela segunda vez. E é aí que começam as lembranças ruins: com a suspeita de que a velha Zulma, quando jovem, havia mandado matar o seu primeiro marido, liquidado na sala de jantar por uma carga de chumbo detonada com precisão milimétrica por um homem que se escondia atrás de um limoeiro perto da janela e depois escafedeu-se na noite, sem nunca ter sido visto ou achado. Decidida como era, ela não pranteou o defunto por tempo excessivo, não chegando a cumprir o prazo convencional do luto, que aqui era de um ano em casos de morte de pai e mãe, filho, marido e mulher. Não tardou a trocar as vestes pretas por um vestido branco, com o qual adentrou a igreja para receber um novo cônjuge, provocando espanto e falatório. E da igreja sairia de braços dados com um elegantíssimo cavalheiro, em quem iria mandar até que a morte os separasse. E ele, o manso seu Quirino, tido e havido como um cachorrinho de estimação, parecia aceitar de bom grado a sua condição subalterna diante dela. Por que contrariar uma natureza feminina explosiva, se com o casamento ganhara uma casa pronta e ajardinada, a cama feita e pastos preparados para o plantio? Nesse sentido, era possível que ele se sentisse um felizardo. Ainda assim, nem todos os homens do mundo queriam estar na sua pele. Ele que tivesse cuidado com as janelas. Quem matou um podia matar dois.

Pior do que o medo do poder de fogo de dona Zulma — que o acionava somente quando contrariada, diga-se — era o de uma frondosa e imensa árvore mal-assombrada na estrada, já chegando à sua casa. E que se tornou lendária como "A Árvore dos Enforcados", tão assombrosa quanto o mais arruinado dos castelos ingleses, desde o dia em que um homem escolheu um de seus galhos para pendurar o pescoço, antecedendo em anos e anos o "tresloucado gesto" do meu irmão Nelo. Parei à sua sombra, toquei no seu tronco, mirei a sua amedrontadora copa por fora e por dentro, pisei em suas raízes pavorosas, corajosamente. Nenhuma vantagem em tanta coragem. Ainda havia luz, uma boa claridade no resto da tarde. Reza a tradição que o terror só se manifesta à noite, eu que apressasse os meus passos, se não quisesse ser perturbado por visagens terríficas: caveiras chocalhantes, gralhas monstruosas a piar ensurdecedoramente, desvairados zumbis assoviadores, no maior espetáculo macabro do mundo, com a árvore ora se deslocando da beira para o meio da estrada, formando uma barreira para o passante, ora crescendo gigantescamente, até tocar no céu. Em outras vezes era o próprio enforcado quem aparecia. Urrando. E era um urro capaz de fazer a terra tremer. E tantos foram os que disseram que viram isso e aquilo e que desmaiaram e que só recobraram os sentidos ao raiar do sol, e que ainda tremiam e se arrepiavam só de lembrar, que uma procissão de apavorados se encaminhou para a porta do padre, num domingo de Santa Missão, para implorar ao ministro de Deus uma providência redentora, como uma missa para o enforcado, debaixo da árvore, com muito incenso e vela acesa e uma chuva de água benta sobre as suas folhas, pois, além de muita oração pela alma do morto aterrorizador, era preciso benzê-la. Apostolicamente o reverendíssimo sacerdote negou-se a atendê-los, alegando tratar-se de fantasias, crendices, imaginações. "Se o padre bateu a porta em nossas caras, corramos para o pai de santo." E marcharam escondidos, numa noite escura, tementes ao dedurismo das beatas e à condenação dos papa-hóstias — todo o povo daqui, sempre fiel à Igreja Romana de Deus —, até o terreiro de macumba mais próximo, a duas léguas de distância, na beira de um rio, aonde só se ia em segredo, jamais revelável, nem no confessionário. O apelo às clandestinas forças ocultas da mandinga piorou ainda mais as coisas. A árvore passou a se transformar em uma enorme negona vestida de branco, toda enfeitada de rendas, bordados, braceletes, colares e búzios, bebendo cachaça e fumando charuto, e a sacolejar-se estrepitosamente, dançando e cantando numa estranha língua: "Skindô, skindô, lê, lê. Orixá, Iemanjá, iê, iê.

Exu, Oxóssi, Xangô, ei, i. Olorum, Olodum, Oxum. Ziriguidum, misifi. Hum-hum."

E virou uma venerável preta véia, a saciar-se de oferendas: sangue de bode preto, farofa amarela, canjica, galinha, um cardápio de santo. Além de mal-assombrada era mandingueira.

O medo dela redobrou.

Yo no creo en las brujas, pero... tratei de ir andando, para longe dela. Hum-hum. Saravá!

Outro quadro de desolação me esperava um pouco mais adiante. Adeus dona Zulma, lorde Quirino, violeira Zilah, beiju de tapioca, licorzinho de jenipapo, relógio de cuco, Sagrados Corações de Jesus e Maria, cortiços de abelhas, cadeiras de balanço, fortaleza de flores e cães e todos os demais personagens de uma casa muito asseada e alegre e da qual não sobrara sequer um caco de telha, se é que isto me servia de consolo. Sobrava apenas a recordação de uma noite memorável que eu daria tudo para revivê-la — hoje à noite.

Foi durante uma porfia de viola e violão a varar o tempo, como sempre. E como sempre o meu pai foi ficando, ficando, ficando, até eu não resistir mais e cair de sono sobre um farfalhante colchão de palha. Dormi como um anjo. E fui levado pra casa dormindo, no ombro do meu pai, o que nunca teve medo da noite, nem de assombração. Por toda uma vida eu iria sonhar com aqueles sons, vozes e sussurros me acalentando, num concerto regido por Morfeu, a quem começava a rogar que me embalasse outra vez. Esta noite.

Na volta não me esqueci de acenar para a Árvore dos Enforcados, a preta véia. Axé! E fui dando no pé, desembestado. O sol já estava se pondo. E eu entrando na boca da noite.

4.

NOITE

Ei-la

Chegou a dona das trevas, a mãe das almas, a madrinha dos sonhos. Perigosamente sedutora. Convidativa. Tudo a temer: aqui as noites sempre foram mais longas do que os dias. Não há como evitá-la, fugir ou me esconder. Já estou dentro dela.
Seja o que Deus quiser.
E queira o bondoso Padre Eterno que eu termine esta noite nos braços daquela que foi a minha primeira namorada. Ainda uma bela mulher. A quem levarei flores, como já fiz tantas vezes, no tempo das novenas do mês de maio. E desta vez sem coragem ou motivo para lhe fazer promessas e juras de amor. Falaremos de saudades, talvez. E recordaremos que um dia fomos duas crianças que se amaram. E isso nos ruborizará. Para que esta noite também possa pintar o meu medo na cor da ternura.
Será que ela ainda se lembra do apelidozinho que me botou? Guaxinim. Por causa dos meus cabelos arrepiados. Obra do finado Severiano, o cabeleireiro viúvo e cheio de filhos e que parecia sempre aporrinhado, a transferir os seus desgostos para as cabeleiras alheias. Na verdade, na verdade, a culpa

era do meu pai, que mandava o velho rabugento me tosar com máquina zero, para que eu não pegasse piolho. E o maldizente tosador não fazia por menos: passava a sua máquina como se fosse um arado, deixando apenas uma touceirinha a sombrear-me a testa, uma ridícula franjinha. Os cabelos cresciam alvoroçados, como capim. Aí os moleques da escola sacaneavam: "Cabelo de espeta-mangaba! Porco-espinho!" Ela, porém, se lembrou de um bichinho mais simpático e dava ao apelido um tom mais carinhoso, menos esculhambativo. Na primeira vez em que me chamou de guaxinim fiquei amuado. Quase que com o mesmo ímpeto que me levava a partir pra cima dos meus colegas de escola, na hora do recreio, toda vez que me chamavam de porco-espinho. O que só contribuía para reforçar o time dos provocadores. Se eu não me incomodasse, não aconteceria nada. Aos poucos iam deixando os meus cabelos arrepiados em paz. Porque me incomodava, brigava, batia e apanhava. E feio. Voltava pra casa todo lanhado. E levava uma coça. Aí era mamãe quem me deixava com os cabelos em pé. Devia era se orgulhar de ter um filho que não fugia à luta. Em vez disso, o castigava. Vá lá entendê-la. Queria o quê? Domesticá-lo, como fazia com seus gatos e cachorros? Mamãe, com um chicote na mão, era pior do que uma domadora de leões. E o filho dela era só um guaxinim, aos olhos da garotinha de cabelos lisinhos de boneca de milho. Guaxinim? Amuei. Ela riu da minha cara enfezada e me deu um beijinho no rosto, dizendo: "Meu doce selvagem." Corei. Pelo beijo inesperado, pelo que disse, pelo seu jeito de falar. Uma diabinha precoce, se bem que eu ainda não tinha vocabulário para tais definições. Só estranhara que soubesse dizer coisas assim: "Meu doce selvagem." Meu... então eu era dela? E doce. Porém selvagem. O selvagenzinho que iria escolher para botar o passarinho pra brigar, à porta da sua gaiolinha.

Foi aí que os meus cabelos arrepiaram, como capim depois da chuva. E nunca mais me zanguei quando ela me chamava de guaxinim. Em sua boca o apelidozinho ficava bem doce. Tanto que o meu primeiro presente pra ela foi um bombom chamado "Sonho de Valsa". Eu lambia os meus beiços às suas mordidas. E guardei para sempre na memória o jeitinho cuidadoso com que ela desamassou o papel laminado que protegia o bombom, esticando-o. E depois o dobrou, como se fosse um lenço, e o escondeu num lugarzinho que já se insinuava como a covinha de uns seios. (Passou-se isto na sacristia da igreja, ao final de uma missa, quando todos já haviam ido embora.) Beijei-lhe a boca meladinha de bombom. Hummmm. E outra vez me arrepiei. Minha doce selvagem. Menina danada. Não admira nada que tenha se tornado a diretora do ginásio. Podia até ter ido mais longe, se quisesse. Por que não quis?

Os outros meninos, muitos dos quais levaram vinte anos para pegar na mão de uma mulher, viviam contando vantagens. Tudo garganta, eu pensava. Mentiras deslavadas. Comigo era diferente. Não revelava coisa alguma que acontecia entre mim e a bonequinha de milho. Seria isso o amor?

Maravilha, Totonhim, ter coisas bonitas para lembrar, para que esta noite não seja um pesadelo. Mas não esqueças o motivo principal da tua viagem: os oitenta anos do teu pai, de quem te disseram tratar-se de um lobo solitário, que bebe demais, fuma desbragadamente, conversa com os mortos e vai morrer sozinho, sem ninguém para fazer a caridade de pôr-lhe uma vela acesa nas mãos, rezar-lhe uma última oração e levá-lo para a cova. Apressa-te. Avia-te, ó retardatário. A estas horas o velho já pode estar caindo de bêbado. Ou ter fugido para junto das suas galinhas. Uma vez lobo, sempre lobo. E indomável. Aguenta aí, ô velho. Estou chegando. Quem teve paciência para aguentar esse mundo por oito décadas pode esperar mais alguns minutos.

Já cheguei à rua, alvissareiramente iluminada, lembrando os presépios dos Natais de antigamente, quando íamos ao mato pegar bromélias e jericó para enfeitar a manjedoura do Menino Jesus. Luz, luz, quero luz. Quem nasceu na roça não tem medo do escuro? Eu tenho. Os da roça gostam mesmo é das luzes da cidade.

— Por que você demorou tanto, seu cachorro? Pensei que tivesse fugido.

Eis aí o pai de sempre. Sentado numa cadeira logo ao lado da porta, fumando um pensativo cigarro, à espera da chegada do último filho. Essa cena eu já tinha visto antes. Ah, e quantas vezes. Pai, seu nome é preocupação. Com os filhos. Por que então se chateia tanto quando se preocupam com ele?

No fundo, no fundo, gosto quando me chama de cachorro. É o seu jeito de demonstrar afeto. Tanto quanto acho graça do que ele disse: que pensava que eu tinha fugido. Oitenta anos! E ainda cheio de verve, de veneno. Bem ao seu estilo: em fogo brando. Calma que o lobo velho é manso.

— Dei uma boa caminhada. E as horas voaram. Foi por isso que demorei.

— E o que foi que você viu?

— Nada.

— Nada? Então por que demorou tanto?

— Andando e andando por uma estrada que não existe mais, vendo pastos e casas que também não existem. Toma é tempo fazer uma caminhada destas.

— Um tempo perdido.

— Não, senhor, seu Totonho. Nada disso, mestre Antão. Foi como quando eu estava na escola e a professora me mandava escrever uma composição sobre um dia de chuva. Se era num tempo de seca, isso exigia muita imaginação. Igualzinho ao trabalho que tive hoje para imaginar como era tudo, como é que foi. Entendeu, Totonho velho?

— Claro, Totonhim. Estou velho, mas não sou burro. Se fosse, não seria o pai de um filho tão sabido. Aliás, quando você era menino, eu admirava o seu gosto pelos livros e pela sua amizade com pessoas inteligentes. O Mestre Fogueteiro, o Escrivão, a professora Teresa, que não se cansava de perguntar por você, até morrer. Você sempre foi muito inteligente.

— Que bom que o senhor acha isso.

Quase completo: "Valeu a pena vir aqui só para ouvir um homem que nunca leu um livro, em toda a sua vida, me dizer uma coisa destas." Mas me contenho. Por que não digo o que o meu coração pede que diga? E por que fico tão encabulado diante do meu pai?

— Agora vem cá, Totonhim. Queria tirar uma cisma.

— E onde vamos ter que tirar essa cisma?

— Aqui mesmo. E agorinha. É que eu estive pensando, matutando, e fiquei achando que você está com algum problema. Estou achando você muito preocupado. Tô certo ou errado?

Que lhe diria? Que de fato ando com medo de perder o emprego, já que o Banco do Brasil está reduzindo o quadro de funcionários à metade, trocando os antigos por estagiários que aceitam trabalhar de graça, só para aproveitarem a oportunidade de entrar em algum lugar, na esperança de mais tarde virem a ganhar algum salário? Que se perder o emprego vai ser uma bela duma encrenca, para um sujeito que tem mulher e filhos e já chegou aos quarenta anos? E aí, vou ter que vender o apartamento, já pago religiosamente, mês a mês, em quinze anos? E se não conseguir vendê-lo, já que ninguém está comprando nada? Veja bem: vender o apartamento para comer e não deixar a família morrer de fome. E passar a viver de aluguel ou morrer debaixo de uma ponte. Sim, senhor, estou vivendo a tal crise dos quarenta. A idade que ultrapassa os limites estipulados pelos anúncios de ofertas de emprego. E que também não dá para a aposentadoria, por mais reles que seja. Quem disse que a vida começa aos quarenta? Meu pai o diria, com certeza, sobre o panteão dos seus oitenta anos. Não lhe direi nada disso, claro. Nem sequer poderei mencionar a palavra banco. Seria falar de corda em casa de enforcado. Vim aqui revê-lo. Festejá-lo. Trazer-lhe um pouco de alegria. E não de preocupação.

— Problema, todo mundo tem, papai. Mas não se preocupe com os meus. Não é nada que me faça seguir o exemplo do seu filho Nelo, se é que é isso o que preocupa o senhor.

— Ô Totonhim. Longe de mim pensar numa desgraça dessas. Esqueça esse assunto, pelo amor de Deus. Vamos tomar um café. Acabei de fazer um agorinha mesmo. Ainda deve estar quentinho.

Na cozinha:

— Sabe quem teve a cara de pau de vir aqui, hoje à tarde?
— Quem?
— O prefeito. Aquele cachorro é muito descarado. Chegou de mansinho, como quem não quer nada, perguntando por você e dizendo que era pra a gente ir jantar na casa dele.

Eis o lobo mostrando as garras, pronto para pular na jugular de quem lhe invada a toca.

— E?
— E o quê?
— O senhor topa?
— Você acha que depois de tudo que falei desse cachorro eu ia pôr os pés na casa dele? Só se não tivesse vergonha na cara. E você? Vai lá? Não se prenda por minha causa.

Pois é, Totonhim, uma coisa é ele te chamar de cachorro, outra é quando xinga alguém assim. Cachorro pra lá, cachorro pra cá. A diferença está no tom da voz. Na carga da intenção. Não, eu também não iria ao tal jantar. Havia exagerado no almoço e estava sem fome. E tínhamos muita comida em casa.

— Eu quero mesmo é dar umas voltas por aí, velho. Na sua companhia, certo?

— Certo.

— Então vou tomar um banho e me arrumar, pra a gente sair.

— Isso é mais do que certo. E ande depressa, que a professora está esperando por você. Lá no ginásio. Não vá me dizer que se esqueceu disso.

Como poderia esquecer aquele que pode ser o melhor momento desta noite?

Depois do banho tomado e de me perfumar e ficar mais cheiroso do que filho de barbeiro, e de vestir uma roupa nova para desfilar por aí bonito como um corno, arrastei o meu pai para fora de casa, da qual ele não havia arredado pé desde a hora em que cheguei, hoje pela manhã. Não fugiu. Nem encheu a cara. A queixosa mana Noêmia não vai acreditar nisso, quando eu lhe contar.

E vamos nós. Primeiro, ao hospital. No caminho, deixei o velho a par dos acontecimentos. Ele concordou que era mesmo nosso dever visitar as vítimas do assalto e saber como iam passando, e queira Deus que escapem desta. E eu temendo que já estivéssemos atrasados demais para essa visita. E ele reclamando porque não falei disso mais cedo. Se os dois atingidos pelos assaltantes já tivessem morrido, eu que me preparasse para ouvir poucas e boas. Como se fosse o culpado.

Chegamos. Primeiro, uma boa notícia: eles estavam fora de perigo. Segundo: uma má. Ainda não podiam receber visitas. O meu pai, porém, reencontra toda uma parentada que se mostra agradecida por ele ter vindo e ainda trazendo um filho, do qual poucos se lembravam. "Fé em Deus, pessoal", ele diz. "Vamos rezar, pra Deus ajudar." E ali mesmo, na saleta de espera do hospital, apinhada de rostos antigos cujas feições roceiras me lembravam os velórios do tempo em que as mulheres morriam no parto, uma atrás da outra, ele puxou uma oração, com sua voz de barítono, logo seguida por um coro esganiçado: "Queremos Deus, homens aflitos..." Uma porta se abre e não é mais um rezador que chega, para reforçar as súplicas a Deus. É o diretor do hospital pedindo silêncio. Que se rezasse baixinho, para não incomodar os doentes. "Ora essa. Quem disse que reza incomoda? Esse sujeito deve ser comunista. Só pode ser." Tenho vontade de rir, o que as circunstâncias me impedem. Não era hora e lugar para gracinhas e delongas. Por isso não digo que o tempo dos comunistas já passou mas que, se Deus quiser, vai voltar. Melhor cumprimentar a todos, um a um, e puxar o meu pai, que parece feliz em reencontrar aquele povaréu todo reunido, o seu velho povo.

Arrasto-o para o posto telefônico, bem em frente ao hospital, passando pela porta do ginásio. Digo-lhe que preciso fazer uma ligação, coisa rápida. E ele:

— Totonhim, não tenha pressa. Aqui não é São Paulo. Aqui tudo pode ser feito devagar.

Deve estar achando que o forcei a interromper o seu encontro com a parentada, no hospital, quando gostaria de ficar mais um pouco, por haver reencontrado a sua plateia dos velhos tempos. Daqui pra frente preciso controlar a minha impaciência diante da fala arrastada desse povo, da sua prosa demorada, comprida, interminável. E procurar entender o que há de bom nisso. Vai ver, eles é que estão certos. Fazem esse velho mundo parecer um pouquinho mais humano. O problema é que acabo não tendo saco para tanta falta de pressa. Tentarei me corrigir, velho Antão, seu Totonho, meu lobo em pele de cachorro. Em nome do Pai, do Filho e do Espírito Santo da vossa santa paciência. Tanto que, ao discar para casa, já não estou mais preocupado em falar rápido, por hábito ou vício ou temendo o tamanho da conta a pagar.

— Alô!

— Oiii. É você? Até que enfim!

Que oi prolongado, gostoso de ouvir. Ganhei o meu dia. Bom saber que alguém, entre milhões de pessoas, sentiu a minha ausência nestas últimas vinte e quatro horas.

— Saudades de você, dona Ana. Donana.

— Quantas tias Donanas você já encontrou por aí?

— Até agora, nenhuma. Mas que tem muita Donana por aqui, isso tem. E você? Tudo bem?

— Tudo.

— Você parece um pouco desanimada. O que houve?

— Nada. Não é nada, não.

— Tem certeza?

— É que o Rodrigo arriou, com um febrão danado. Foi assim de repente, sem estar resfriado nem nada. E se queixa de muita dor de cabeça. Estou preocupada.

— Levou ele ao médico?

— Como?! Eu estava no trabalho. Só quando cheguei em casa foi que encontrei ele nesse estado. Amanhã vou ver se dou um jeito.

— Chama ele aí? Deve estar sentindo a falta do pai.

— Nem sei se vai conseguir falar com você. Mas vou tentar.

Ponho a mão no fone e digo para o meu pai: "Problemas." E faço um sinal para que se aproxime.

— Rodrigo? Aguente firme que eu já estou voltando. Depois de amanhã vou estar aí, dois dias passam rápido. O que é que você quer que eu te leve da Bahia? O mar? Isto é um pouco difícil. Mas um berimbau dá pra levar. O que é isso? Você vai ver. E vai gostar. E sabe com quem você vai falar agora? Não? Com o seu avô. O seu avô da Bahia.

Passo o telefone para o meu pai. Que fica horas falando com o neto de São Paulo, maravilhado, e dizendo-lhe que sou um cachorro por não o ter trazido, para andar a cavalo, brincar de cabra-cega, jogar bola de gude, andar descalço, subir em árvore, tomar umbuzada e comer rapadura. E quando o seu neto lhe diz que ainda bem que não veio, porque está com febre, o avô recomenda-lhe que tome um chá de pitanga, que a febre passa.

— E aproveite que o seu pai não está aí pra fazer muita malinagem.

— O quê?

— Tudo que você sempre quis fazer e que o seu pai não deixa.

— Essa é boa, vô. Adorei.

O meu pai faz um sinal, querendo saber se pretendo continuar a ligação. Respondo com um gesto afirmativo. Depois de mais umas palavrinhas com o meu filho Rodrigo, claro que preocupado com ele mas fazendo tudo para levantar o seu ânimo, peço que chame a mãe. E outra vez ponho o meu pai na linha, para falar, pela primeira vez na vida, com a sua nora paulistana. E os dois se falam como se já se conhecessem desde criancinhas. E ele insiste na recomendação do chá de pitanga para o netinho.

— Como? Nessa casa aí não tem uma única folha de pitanga? Nem parece que o seu marido nasceu na roça.

Volto ao telefone e pergunto pelo meu filho menor, o Marcelinho. Está na casa da avó. Prometo que em seguida vou ligar pra lá, para que ele também fale com o vô da Bahia.

Também prometo voltar a ligar, para saber do Rodrigo. E recomendo que chame o médico, se ele piorar. Ou o leve a um hospital. É para isso que pagamos um seguro de saúde. Pronto. Mais uma preocupação para esta noite.

Disco outra vez, fazendo com que o meu pai conheça, pelo menos por telefone, o seu outro netinho de São Paulo.

Ficou radiante. Era muita novidade para um dia só.

— Pela primeira vez em minha vida falei com São Paulo, Totonhim. E o meu sangue está lá. Por que você não trouxe eles, seu cachorro? Por que não falou deles?

— Porque o senhor não perguntou.

— E precisava?

— Calma, papai, que a noite está apenas começando e ainda tenho algumas surpresas pro senhor. Alô! Noêmia? Sim, sou eu. Falando do Junco para o mundo. Pra todo mundo. Sim, tá tudo bem. Ele está melhor do que você imagina. Duvida do que estou dizendo? Aguente aí. Espere um instante.

E ponho o velho para falar com ela.

Tagarelaram por um tempo sem fim, mais parecendo duas comadres fofoqueiras. E ele chamou todos os netos, insistindo com cada um para que viesse para "o nosso São João". Como todos, ao que entendi, garantiram-lhe que viriam, me devolveu o fone, feliz da vida. Juro para minha irmã Noêmia que o nosso pai não está bêbado, que não o vi tocar em birita nenhuma, desde que cheguei. Ele só está é alegre. E que todos façam o favor de cumprir a promessa de virem para a festa de São João. Como estamos em março, daqui até lá ele irá viver da esperança de ter a casa cheia, no mês de junho. Digo isso por meias palavras, tentando disfarçar ao máximo possível, para que o meu pai não entenda o verdadeiro teor da conversa. Falo ao telefone com a (sempre) preocupada mana Noêmia olhando para ele e me lembrando de um poema de Federico García Lorca: "O que tem o teu divino coração em festa?" Peço outra ligação. Para mamãe.

— Aqui é do Serviço de Alto-Falantes a Voz do Sertão. Alguém, com muito amor e carinho, oferece à moça que está vestida de azul e branco, na calçada da igreja, esta linda página musical do nosso cancioneiro popular, etc.: "Nada além/ nada além de uma ilusão/chega,bem/já é demais para o meu coração..."

— Totonhim? Deixa de molequeira! Pensa que eu não sei que é você?

— Então agora ouça quem me pediu para tocar esta música.

E outra vez chamo papai ao telefone. E ele:

— Sim, diga! Quem é? Ah! Como vai? É, ele tá há um tempão no telefone. Deve ser mania de paulista. Telefona pra um, telefona pra outro. Parece que não tem paciência de esperar pra falar com a própria pessoa, cara a cara. E eu? Tô muito bem, já disse. O quê? Hummm! Lá vem você de novo. É sempre a mesma conversa. Quer parar de me dizer estas coisas?

Desta vez ele não me repassa o fone. Desliga. Balançando a cabeça. Com um ânimo bem diferente do que demonstrara nas ligações anteriores.

Preocupado, achando que fiz uma burrada, pergunto-lhe:

— E aí? Não gostou de falar com a velha?

— Sua mãe só me perguntou se eu já estava bêbado. E fez um sermão desgraçado para eu parar de beber. Que porra, Totonhim, eu estou bêbado?

Levo o meu braço ao seu ombro e o aperto com força, esperando que ele compreenda o meu gesto de solidariedade. Quantas você fez na vida, meu senhor, para merecer agora o que pode lhe parecer uma perseguição, uma injustiça, quem sabe uma desumanidade? Se há exagero nas preocupações, elas não devem existir por acaso. E significam uma prova de amor, seja lá o que isso implique. Pode crer. E se disser de novo "que porra", vou lhe devolver: "Cuidado com essa boca suja." Como o senhor fazia comigo, quando eu era menino, e ainda ameaçando me dar um tapa. Na boca. Para nunca mais eu dizer um nome feio. Agora, quer saber uma coisa? Estou muito feliz por ter ouvido um palavrão saído da sua boca. Ô velho. O senhor é do caralho.

Parece sentir-se confortado com o meu abraço, o que eu realmente esperava. Desabafa:

— Veja só, Totonhim. Vivo aqui sozinho, sem incomodar ninguém. E todo mundo me chateia, achando que sou um velho bêbado que só gosta de galinhas. Mas também gosto muito dos meus filhos. E mais ainda dos meus netos. Eles não me chateiam. Sabem brincar. Adoram se divertir comigo. E as galinhas não cacarejam: "Velho bêbado, velho bêbado." Só sabem comer milho e ciscar no terreiro. É por isso que eu fujo de tudo e de todos, pra estar junto delas, entende? Você me entende?

— Não me diga que vai fugir de mim esta noite, vai?

— Isso depende.

— De que, seu Antão?

— De você falar em preocupação. Comigo.

— Tá bom. Não estou nem um pouco preocupado com o senhor.

— Mas eu estou com você.

— Essa é boa. Agora sou eu que vou fugir pra junto das suas galinhas.

— Você não ficou de passar no ginásio, pra ver a professora?

— Vou ligar pra ela.

— Pra quê? O ginásio é logo ali, ao nosso lado.

— Não custa nada saber se ela já pode me receber.

Pergunto à moça do posto se tem o número do telefone do ginásio. Ela reage igual ao meu pai, dizendo que basta eu dar alguns passos para chegar lá. Insisto e sou atendido, com um incrédulo balançar de cabeça, como se me achasse um maluco. Evito encompridar conversa explicando os costumes urbanoides de telefonar antes para confirmar um encontro, etc. E ligo para a senhora diretora, apesar de todo o estranhamento à minha volta em relação a essa formalidade. Foi uma intuição salvadora. Ela me perguntou se eu podia passar às nove, em vez de às oito. Haviam surgido uns probleminhas, que esperava resolver até lá.

Pago a conta de todas as ligações, achando que não foi assim nenhuma fortuna, olho no relógio e vejo que ainda são dezenove horas e trinta minutos. Sete e meia da noite. Como aqui as horas passam devagar! Pelo menos no posto telefônico. Volto a arrastar o meu pai para outro lugar.

— Até que enfim. Pensei que você ia passar a noite telefonando.

— Foi o senhor mesmo quem disse que eu não precisava ter pressa, que isso era coisa de São Paulo. Esqueceu?

— Tudo o que eu falo você retruca, na bucha. Quer brigar, caboco?

— E eu lá sou doido de puxar briga com o senhor? Vamos nos divertir.

— Só se for agora. Mas onde?

Aí está uma pergunta cuja resposta ainda não sei. Se estivéssemos em São Paulo, eu agora poderia levá-lo a uma infinidade de lugares. Ao aeroporto, para ele ficar vendo os aviões chegando e partindo, o movimento de gente indo e vindo. A um *shopping center*, com todas aquelas vitrines, cada uma mais atraente do que a outra. A uma churrascaria bem barulhenta. A uma cantina italiana, *mamma mia*. Ao cinema, ao teatro, a uma casa de *shows*, esquinas perigosas, um passeio de carro pela cidade *by night*, uma andada a pé pelo Viaduto do Chá, para que ele perdesse a respiração com a sua altura, a grandeza dos edifícios reluzentes pra todo lado, o tráfego lá embaixo. A uma terma para executivos estressados, onde ele tomasse uma sauna, mergulhasse numa piscina de água quente e fosse a um quarto com uma garota de vinte anos, sabe Deus para fazer o quê. E depois encher a cara de saquê quente no bairro da Liberdade, atravessando outro viaduto com a muralha da China abrindo a fronteira para o Japão. Tomar áraque no olho da madrugada e comer pasta de grão de bico na Avenida Ipiranga. Rebater com *um chopes e dois pastel* na Avenida São João. Dançar forró na periferia e descobrir que é aqui que se faz a verdadeira festa de São João, em todas as noites do ano. E no dia seguinte, depois de dar uma olhada nas filas das construções e das portas das fábricas, perguntar onde fica a rodoviária. E, ao encontrar a plataforma de embarque, sobrevivendo aos trompaços e atropelos, fazer uma despedida bem ao seu estilo:

— Totonhim, já vi todos os japoneses. Agora vou embora. Arigatô.

Voltemos. À rua. Para, pedestremente, avançarmos numa noite sem a menor possibilidade de aventuras emocionantes.

— O que vamos fazer agora? Qual é o seu plano?

— Primeiro, a gente vai à casa do prefeito. Onde fica?

— Ali em frente — ele aponta na direção dela. — Você não disse que não ia ao jantar do dito-cujo?

— Vamos lá pra avisar que não vamos — respondo, à maneira do meu tataravô português, de quem devo ter herdado uma certa redundância.

— Tá certo fazer isso. Mas eu mesmo não vou lá, não.

— Bobagem, velho. A gente só dá uma passada rápida, de raspão. Dá um oi da porta ou da janela, deixa o recado e cai fora. Só pro sujeito não dizer depois que somos mal-educados, que fizemos uma desfeita, essas coisas. Se não souber que não vamos ao tal jantar, pode ficar a noite toda nos esperando.

— Você vai. Eu, não. Espero você ali, naquela árvore.

Eta velho. Carne de pescoço. Madeira de dar em doido. Osso duro de roer. Ele é tudo o que se diz de um cabeça-dura.

E o pior é que acabo de lhe dar razão. Da janela confirmo uma boa parte de suas afirmações sobre os pertences do prefeito. Não estava exagerando, como cheguei a pensar. A sala do "home" parece uma loja de produtos importados ou um depósito de muamba. Por mais que esgoele um "ô de casa" e bata palmas, demoro a ser notado. Uma mulher, com os olhos pregados num telão cinematográfico de uma TV a todo volume, custa muito a virar o rosto. A princípio, não consegue me ouvir. Fico esperando até ela ter a boa lembrança de pegar o controle remoto e abaixar o som. Deixo o recado e me retiro, rapidamente, imaginando a quantidade de equipamentos de última geração que o dono da casa não devia ter lá dentro, no escritório e nos quartos. E me perguntando como alguém podia ter a coragem de escancarar tantos sinais de riqueza, num lugar tão humilde e que faz da modéstia a sua maior virtude.

Antenado com o admirável novo mundo eletrônico, o prefeito ostenta uma flor metálica sobre o seu telhado rudimentar, singela obra artesanal engendrada outrora em olarias como a que o meu pai já teve. A peça de escultura modernosa é um contraste na singularidade da paisagem. Mais parece um guarda-chuva aberto ao contrário. Ou um girassol cibernético, símbolo do desenvolvimento tecnológico nacional, o que esse mundo velho não pode ignorar. Montado de teto em teto, forma um desordenado jardim suspenso, como o cenário de um filmete de TV patrocinado por uma empresa interplanetária de telecomunicações. Eis aí as antenas parabólicas, a rastrearem os sinais de um novo tempo. Chamemos a isso de progresso. Pelo que os nativos nos agradecerão, com um sorriso. Por não estarmos chamando-os de tabaréus da roça. De capiaus.

O último roceiro está escondido atrás de uma árvore, para não ser visto através da janela do prefeito, a quem já acusou de malversação de verbas e impostos, corrupção, o diabo. Só faltou xingá-lo de comunista. Mas já disse que ele havia se bandeado para o lado dos crentes, o que tornava o seu conceito abaixo de todas as críticas. Como um homem de antigamente, o velho devia continuar achando que crente e comunista era tudo a mesma coisa. Farinha do mesmo saco. Quando lhe perguntei se aqui já tinha uma igreja evangélica, ele se espantou: "O quê? Então você não sabe? Uma, não. São seis. Seis igrejas dos crentes contra só uma da verdadeira lei de Deus. Se bem que as deles são pequenas e feinhas. Mas fazem muito barulho." Não, não vim aqui para contrariar os rígidos princípios do meu pai, no que diz respeito às crenças religiosas. De maneira alguma quero aporrinhar o seu juízo. Já chega a mancada daquela ligação para mamãe, da qual saiu insatisfeito, desgostoso. Se eu soubesse, não teria feito o que fiz. Penso em dizer-lhe isso, pedindo desculpas, mil perdões. Agora estamos lado a lado, andando sem nenhum destino. E ele emudeceu. Ensimesmou-se.

Caminhamos de volta à praça principal. O seu mutismo começa a ficar insuportável. Digo:

— Que tal a gente ir de casa em casa, pra fazer uma visitinha rápida a todos os nossos parentes que ainda moram aqui?

— Pra quê?

— Pra prosear um pouco, dar risada com eles, como o senhor sempre gostou de fazer.

— A esta hora, meu filho? Logo na hora que todo mundo tá vendo televisão e não quer conversa? Aqui agora é assim: televisão, televisão, televisão. Até caírem das cadeiras, mortos de sono.

Conclusão: se batermos de porta em porta vamos ser considerados uns chatos. E o meu pai tem no bolso uma milagrosa pílula chamada semancol. Jamais queria ser visto como um estorvo. Até que os seus princípios arcaicos serviam para alguma coisa. Isso me agrada. Tanto quanto ter sido chamado de "meu filho". Pela primeira vez, desde que cheguei.

O problema agora é saber o que fazer. Se todos estão vidrados na televisão e não querem ser importunados, aonde vamos? A uma venda? A um bar? A uma bodega numa rua dos fundos? E eu que ia perder o telejornal das oito. Se estivesse em casa — na minha casa —, também estaria grudado na TV, me irritando toda vez que o telefone tocasse. Um dia inteiro sem ler jornal e sem ver televisão. E nada disso me fez falta. Pelo menos até este momento. De repente, me ocorre uma saída:

— Já sei o que vamos fazer.

— Então diga. Diga aí.

— Vou levar o senhor pra fazer penitência.

— Oxente, Totonhim. Que é isso? Já paguei todos os meus pecados.

Bom ouvir esse *oxente*. O meu pai deve ser um dos últimos a não ter esquecido as palavras do velho povo.

— Calma, seu Antão. Sossegue, mestre Totonho. O que vamos fazer é um passeio até o Cruzeiro da Piedade.

— Só se for a pé.

— Bem que eu queria ir a pé. Mas tenho que estar no ginásio às nove, esqueceu?

— Ah, então o jeito é ir de carro mesmo.

Apresso o passo. Ele me acompanha, sem reclamar. Para quem já chegou aos oitenta, ainda bate perna admiravelmente. Melhor do que eu. A esta altura, começo a sentir dores nos pés. Percalços da vida sedentária. Chegamos ao carro. Abro a porta para ele entrar. Quando me sento no banco do motorista, sinto as pernas pesadas, os músculos doloridos. Eis aí a P.V.C.: Puta Velhice Chegando. O meu pai, porém, dobrou os joelhos sem se queixar de nada. Em sua homenagem, pego no porta-luvas uma fita que eu trouxe, com uma seleção de alguns clássicos do repertório de Luiz Gonzaga, o Rei do Baião. Ligo o motor e o toca-fitas, e a voz de terra, mato e sertão do finado Lua leva o meu pai de volta a um forró rasgado, às suas memoráveis noites de bate-coxa, com uma sanfona, um triângulo e um zabumba fazendo as saias levantarem. Agora, sim, eu sei que tocarei em seu coração, vou levá-lo ao céu.

> *Minha vida é andar por esse país,*
> *pra ver se um dia descanso feliz.*

Ele põe o braço pra fora do carro e começa a bater na porta, dizendo:
— Pra frente, cavalo bom. Rá, rá.

> *Ô que estrada tão comprida,*
> *mas que légua tão tirana,*
> *ai, se eu tivesse asa,*
> *inda hoje ia ver Ana...*

O velho solta os pulmões. E canta. E eu me lembrando das cigarras, que cantam até pipocar.

> *Meu cigarro de palha,*
> *meu cachorro ligeiro,*
> *minha rede de malha...*

Agora o meu pai é um menino passarinho, com vontade de voar.

*Quando olhei a terra ardendo
qual fogueira de São João,
perguntei, ai, a Deus do céu, ai,
por que tamanha judiação...*

Quando chega a vez do *Assum preto*, o pássaro de que furaram os olhos "para ele assim cantar mió/cantar de dor", vejo lágrimas escorrerem pelo seu rosto. Daqui pra frente já não vai mais poder dizer que homem que é homem não chora, não é, velho? Ele enxuga as lágrimas na manga da camisa e tenta disfarçar o que poderia ser entendido como uma fraqueza. Vira-se pra mim, sorri e diz:

— Totonhim, seu cachorro, assim você me mata do coração.

Chegamos aos pés do Cruzeiro da Piedade, onde muitos joelhos já foram esfolados em penitência, enquanto vozes desesperadas imploravam aos céus: "Chuva, chuva." Desligo o toca-fitas, para um momento de contemplação silenciosa, debaixo das estrelas.

É uma bela noite de lua, a pratear o mundo à nossa volta.

Um garoto está sentado num dos degraus de cimento em torno do cruzeiro. Sozinho.

— O que é que você está fazendo aqui, menino? Não tem medo, não?

— De quê?

— De assombração — respondo.

— Com essa lua?

— Onde você mora?

— Ali — ele aponta para uma casa rodeada de bananeiras, mais embaixo.

E o meu pai:
— De quem você é filho?
— De Zuleica e Zé Carreiro, do velho Sinhô.
Pergunto:
— Qual Sinhô?
— O teu avô, Totonhim. O meu pai. Não te lembra? Zuleica e Zé Carreiro foram criados por ele. Quando os filhos ficaram grandes, foram se casando e saíram de casa. Teu avô pegou uma menina e um menino pra criar. Zé Carreiro ficou com esse apelido porque, quando cresceu, passou a ser o carreiro de bois do meu pai, o finado Sinhô, que Deus o tenha.
Volto a falar com o menino:
— Seus pais estão em casa?
— Não, senhor. Foram embora.
— Pra onde?
— Pra São Paulo.
— Estão em São Paulo?
— Tão. Pra mais de mês.
— E deixaram você aqui sozinho?
— Não. Minha irmã também ficou. Até que eles mandem nos buscar.
— Que idade tem sua irmã?
— Não sei direito. Acho que vinte anos.
— E você?
— Dezessete.
Ah, São Paulo: o ir e vir ainda não terminou. Olho para o rosto tristinho do garoto, me perguntando: será que sabemos o que dizemos, quando falamos de solidão?
— Ô menino — diz o meu pai. — Você sabe onde eu fico, quando venho na rua? E onde eu moro, lá pra cima da Ladeira Grande?
— Sei, sim, senhor.

— Se você e sua irmã precisarem de alguma coisa, venham me procurar. Coisa de comer, entende?

— Sim, senhor.

A atitude do meu pai me leva a meter a mão no bolso e passar um dinheirinho para o garoto, que não quis aceitá-lo.

— Não precisa.

— Você pode precisar disso mais tarde — insisto. — Tome. Aceite esse dinheiro.

— Guarde isso pra uma precisão — intervém o meu pai. — Não gaste em chicletes e outras bobagens.

— Sim, senhor.

Fico por ali olhando em frente, tentando adivinhar até onde as vistas daquele menino alcançavam. E o que estariam vendo, além do mato a pratear-se sob a lua, na progressão de uma baixada de vegetação rasteira, a perder-se nos confins das encostas, no outro lado. São Paulo? Talvez tentassem avistar os faróis de um ônibus que trouxesse alguém com notícias dos seus pais. E passo a pensar que foi num monte igual a este que Antônio Conselheiro pregou para multidões de esfomeados. Só não dá para imaginar é um novo movimento messiânico, a provocar uma guerra igual à de Canudos. Já devem até ter feito uma barragem lá em Canudos, cobrindo de água todos os vestígios dessa guerra, para que ninguém mais se lembre dela. E os pregadores de agora não sobem as montanhas. Usam paletó e gravata e não fazem sermões incitadores das massas. Apenas recitam o evangelho diante das câmeras de suas próprias redes de TV e nos púlpitos, de olho nos dízimos salvadores.

E este menino? Quem o salvará? Outro velho Sinhô?

Voltamos ouvindo o *Luar do sertão*, na voz de Vicente Celestino, o popular O Berro. Desta vez a música não leva o meu pai às lágrimas. Mas está gostando.

— Depois desta, bota Luiz Gonzaga de novo, Totonhim.
Luiz, respeita Januário. Totonhim, respeita os oito baixos da sanfona que o teu pai jamais esquecerá.
Do Cruzeiro da Piedade para o Cruzeiro dos Montes. Este, sim, é que tem uma subida respeitável. Ao chegar nela, me lembro de uma historinha engraçada que o velho me contou, depois do almoço, quando estávamos lavando os pratos.
Uma vez um homem vinha descendo a ladeira, vestido a rigor: perneiras, jaleco, gibão, chapéu de couro e um baita facão pendurado à cintura. Outro ia subindo, em trajes comuns, sem estar usando a indumentária dos vaqueiros. O que descia puxou o facão, ergueu o braço e avançou, dizendo:
— Olhe, segunda-feira passada você veio pra feira, tomou umas cachaças e disse o diabo de mim. Agora nós vamos acertar as contas.
O outro levantou o braço e respondeu calmamente:
— Ói, hoje nóis não briga. Você tá armado e eu não tô. De hoje a oito, nóis também não briga, porque eu não vou vim aqui. De hoje a quinze, nóis faz um comecinho. Mas o certo mesmo é daqui a três sumanas.
O que queria briga abaixou o braço, enfiou o facão na bainha e foi embora. Rindo.
Dir-se-ia um britânico, pela fleuma.

E cá estamos, sem cruzar com nenhum vaqueiro de facão em punho. Chegando aos pés de outra santa cruz. Não é por falta de cruzes que este lugar será amaldiçoado. E esta é cheia de lâmpadas, toda iluminada. Como se não bastasse a luz da lua para clareá-la. Se no outro cruzeiro havia um menino, aqui há dois. Rezando uma missa. Um fazendo o papel do padre e o outro o do sacristão. Compenetrados, continuam o ritual, pouco ligando para a nossa presença. Respeitosamente, o meu pai se ajoelha e os acompanha. Cantar e rezar é com ele mesmo.

Aproveito para dar uma olhada no meu velho mundo, de cima. O mundo do silêncio, que as vozes dos garotos, reforçadas pela do meu pai, não conseguem quebrar. Terra minha, que me pariu: aqui me tens de regresso. Revisitando pastos, cercas, estradas, árvores — muito além do que revi esta tarde. Quantos sonhos, quantos sonhos. Levados pelas enxurradas, como as marcas dos meus pés na areia quente, as pisadas de um menino que sonhava com uma cidade. Lá embaixo uma praça e meia dúzia de ruas reluzem, brilham na noite, parecendo uma sucessão de lapinhas. Falta uma trilha sonora para estas luzes. Uma voz a cantar, pelo alto-falante: "Eu pensei que todo mundo fosse filho de Papai Noel..." Pois me lembro muito bem de quando Papai Noel chegou aqui. Foi com o motor da luz e o Serviço de Alto-Falantes. Antes disso nunca soubemos da sua existência. A memória desse tempo será perfeita se os sinos repicarem, chamando para a missa do galo. O padre já está aqui. É um jovem sacerdote, aí de seus doze anos de idade, ainda não paramentado, mas que conhece o missal de cor. Pergunto-lhe, um tanto perfunctoriamente, o que vai querer ser, quando crescer.

— Padre — ele responde, em tom melífluo, parecendo um padre de verdade.

Elementar, meu caro Totonhim. E precisava perguntar? Queria o quê? Que ele respondesse general, presidente da República, líder sindical, estivador? Já o jovem sacristão viria a dar uma resposta surpreendente:

— Poeta.

Precisei rodar até estas lonjuras para encontrar dois candidatos a animais em extinção. Padre e poeta. Admirável mundo velho. Um dia poderei dizer para os meus netos que uma vez conheci dois garotos, nos fundões do Brasil, que não queriam ser atores de televisão, *pop stars*, craques de futebol, da informática, da Bolsa de Valores, da política, do tráfico de drogas. E que também não sonhavam com São Paulo. Ou Miami. Contando assim, parece mentira. Juro, com a mão sobre a Bíblia e as obras de Karl Marx, Sigmund Freud, Einstein, Shakespeare, Camões, e de Deus e o Diabo na Terra do Sol: acabo de conhecer um menino que quer ser padre e o outro que quer ser poeta. Na boca do século XXI!

Não!!! Então ainda existem as vocações sacerdotais e literárias?

Ladeira abaixo, quase a ponto de me despencar na ribanceira de tão espantado com a descoberta, indago do meu pai se ele sabe quem são as mães destes meninos.

— Um é primo do outro. E os dois são teus primos, em segundo grau.

— Filhos de quem?

— De duas irmãs, tuas primas.

Ah, o velho e sua eterna falta de pressa.

— Como se chamam?

— Maria.

— As duas?

— Sim. Uma é Maria Esmeralda, a outra é Maria Margarida. Lembra delas?

— Quero falar com as duas Marias minhas primas.

— Se é pra apoiar os meninos, vai perder o seu tempo.

— Por quê?

— Já me disseram que esperam que isso seja coisa de criança. E que passe logo.

— O que esperam que os filhos sejam?

— Funcionários do Banco do Brasil. Dizem que é o que tem futuro.

— Coitadas. O futuro é dos pastores evangélicos.

E agora, para o ginásio.

— Não, senhor. Me deixe em casa. Vá falar com a professora sozinho.

— Ainda é cedo, velho. Vamos lá.

— Por hoje, chega. Esse passeio foi muito bom. Agora volto pra casa. Daqui a pouco vou dormir. Já tô cansado.

— Vai dormir ou vai fugir?

Ele ri.

— Só não lhe dou uma surra porque sei que você vai se encontrar com a professora e não deve chegar todo amarrotado. E chorando.

Deixo-o na porta de casa, prometendo que não demoro muito.

— Hoje à tarde você disse a mesma coisa.

— O ginásio fica bem mais perto do que aquelas roças, não é?

— Lá isso é.

E vou à noite. Quer dizer, lá vou eu dar mais uma volta, tentando encurtá-la. Na esperança de que ela passe depressa e, quando eu der por mim, já seja um novo dia. No caminho para o ginásio, paro outra vez no posto telefônico. E torno a ligar pra casa. Rodrigo está dormindo. O analgésico fez efeito, diz uma mãe mais calma. Estava bem nervosa, ainda há pouco. A dor de cabeça passou e a febre baixou. "Tudo bem, mas fique de olho nele o tempo todo. Beijos, saudades. Volto a ligar amanhã." E se o meu filho estiver com meningite? Ou com um tumor no cérebro? Pai, afasta de mim estes maus pensamentos. É só eu ficar sozinho que os fantasmas aparecem. Lá vem mais outro: e se o meu pai fugir de casa, enquanto eu estiver fora, para ir encher a cara numa bodega bem escondida, onde eu não consiga encontrá-lo? E se cair de bêbado e apagar para sempre? Pode ser também que tenha querido ficar sozinho porque está na hora da tertúlia com as almas do outro mundo. E hoje tem muito o que contar a elas, a começar pelo relato de suas rezas para todos os seus queridos mortos, aos pés de dois cruzeiros. Em agradecimento, os do Além vão dizer que ele é um homem de bom coração. E se sentirá recompensado. Até que enfim alguém lhe faz justiça.

Pelo que entendi até aqui, se é que já pude entender alguma coisa, o fato de haver perdido tudo um dia — pastos, casa, gado, cavalo, cachorro, mulher, filhos — não fez do meu pai um homem amargurado. Essa é a minha impressão. De que ele foi capaz de digerir e purgar todas as suas tristezas. "O que passou, passou. E o passado não tem futuro", diz hoje, sorrindo. Está vivo e ainda aqui, e isto é só o que lhe interessa. Alegra-se com a visita de filhos e netos, mas se diverte muito mais com as galinhas. E sabe que todos lhe querem bem. O que o amargura é a sua popularidade como bêbado. Ou a tal preocupação com ele por causa disso. Ô velho: já que é só esse o seu transtorno, por que não para de beber? Ou já parou? Quem sabe deu uma paradinha até a hora de eu ir embora? Perguntas para a senhora diretora do ginásio responder. Espero que a professora Inês seja sincera e me conte toda a verdade. E por que agora estou interessado nessa tal de verdade? Sejamos honestos: certas verdades são muito chatas. Eu não queria tomar um porre com o meu pai, o último pileque do século? De repente mudei de lado, tomando o partido das beatas? Por quê?

É o medo. De que o seu coração não aguente. E eu não sei fazer um caixão. Quem o faria?

Se o meu pai encher o caco e morrer hoje, aí é que não vou poder dormir. Pensando bem, em qualquer dia que ele se cansar desta vida e resolver partir pra outra, melhor ou pior, este lugar deixará, definitivamente, de fazer algum sentido pra mim. A doce Inesita e todo o povo daqui que me desculpem, mas agora estou dizendo uma verdade. Cruel.

Besteira pensar que será uma crueldade se eu nunca mais puser os pés aqui. Para quem? Com quem? Comigo mesmo? Cruel foi a Inesita, eu me lembro.

Bom, no começo desta história havia apenas uma irmã culpada e chorona, a tagarelar ao telefone sobre um pai porreta, porém vexaminoso, e que vivia como um animal selvagem, para preocupação e desgosto de todos os seus filhos. Uma mãe que ficou louca e, por um milagre de Deus ou dela mesma, conseguiu recobrar o juízo. A imagem — obsessiva, perturbadora — de um irmão com o pescoço pendurado numa corda. Um lugar povoado por fantasmas e a viver da memória de seus melhores dias, nos invernos de chuva e bonança: feijão, milho verde, aipim e batata-doce fumegando nas panelas, a temperar uma saborosa prosa ao pé do fogão. O lugar que hoje vai levando a vida entre os antigos sonhos e a modernidade das antenas parabólicas. No princípio era só isto. E mais eu e os meus temores. E aí um perfume de mulher espargiu no ar, irradiante, trazendo no seu rastro a melhor das recordações. O tempo do descobrimento das graças femininas, resguardadas a sete panos, debaixo das saias, anáguas e calcinhas. Fui tomar banho cantando um bolero, num tributo a uma era de inocência que os anos não trazem mais, como diria um vate d'antanho. Teria ela, a que embalsamara os ares com o seu perfume, guardado algum vestígio desse tempo, dessa idade? Um bilhetinho amarelecido, escrito em linhas tortas e esgarranchadas, uns versinhos carcomidos, uma folha seca a desfazer-se entre as páginas de um livro? E eu, o que guardara dela? Nem sequer sabia que voltara a viver aqui, depois de se formar como professora, num colégio de freiras. Disto eu me lembrava: da sua ida para um internato, na capital, graças à ajuda de um tio, que morava lá e se encarregara de todas as providências. E de suas cartinhas, claro. Que com o passar do tempo foram rareando, até não mais chegar outro envelopinho, contendo um papelzinho florido e perfumado, confeitado de palavrinhas que falavam de amor e saudades, edulcorando os contornos de um coraçãozinho flechado por um punho firme, nada vacilante. Quando o correio parou de me trazer tais mimos, passei a imaginar coisas horríveis, trágicas. Censura da madre superiora? Doença? Morte? A verdade não demorou a aparecer. Nenhum problema com ela, que continuava a escrever regularmente para os pais, contando os seus progressos nos estudos e as novidades dos fins de semana que passava com os tios, primos e primas. Praia, cinema, festinhas, passeios. Como se estivesse vivendo agora um conto de fadas. Saber disso, e por terceiros, deixou-me roendo por dentro, louco de ciúmes, cheio de desconfianças e indignação, pelo seu silêncio e desprezo. Escrevi-lhe uma carta exaltada, com o devido apoio, beirando o escatológico, do poeta Augusto dos Anjos, ao terminar perguntando se a mão que afaga é a mesma que apedreja, se a boca que me beijara era a que me escarrava. Minhas linhas arrebatadas surtiram efeito imediato. Só que, como se dizia por aqui, a emenda saiu pior do que o soneto. O que recebi na volta do correio foi um bilhete azul, para dizer adeus a um namorinho epistolar, a essa altura já sem futuro. Amavelmente, docemente, cuidadosamente ela me dava o fora. De queixo caído, crista baixa, cabelos mais arrepiados do que jamais estiveram, engoli em seco uma lição: o amor é passageiro, como o cavalo e o cavaleiro. E imaginei o imaginável. O seu coraçãozinho agora balançava por outro, quem sabe um primo, ou um amigo do amigo do mais querido amigo do primo, um que tivesse uma irmã muito bonita, para uma permuta irrecusável: "Eu deixo você namorar a minha prima e você deixa a sua irmã namorar comigo." A história também podia ser outra: um fim de semana livre do claustro, praia, enturmação. Um galinho malandro ciscou na areia, arrastou-lhe a asa, levou-a no bico e nas esporas. Artes de um capadócio escolado em mulher, diplomado em velhacaria, como todos os do litoral, que fizeram a bonequinha de milho ver o sertão virar mar. Sol, sal, água azul, areia branca e o vento a assanhar-lhe os cabelos — e o juízo. Os passarinhos de lá deviam gorjear melhor do que os de cá. Se naquele tempo aqui tivesse uma casa de penhores, eu teria empenhado os meus cotovelos. Resumo do episódio: nunca mais a vi. Dela restou apenas a esplêndida lembrança das suas pernas subindo num pé de umbuzeiro e de tudo o mais que aconteceu depois. Dos seus pezinhos fofinhos nas minhas mãos. Não estava nos meus planos reencontrá-la. Tanto quanto voltar aqui um dia. Chegar aqui, redescobri-la e ir ao seu encontro não significava estar em busca do tempo perdido, do tempo desperdiçado, do tempo gasto, dissipado, de reviver o irrevivível, essas coisas "que os anos não trazem mais", eu me dizia agora, para tirar da cabeça qualquer expectativa em relação a ela. Sim, não poderia considerar o seu convite uma promessa de uma noite, digamos, de amor.

E assim fui. E já voltei.

Ela não pegou uma faca para cortar a minha macheza, como se fosse um Lampião de saias. Nem disse: "Ou você fica comigo pra sempre, ou eu faço um picadinho desse troço aí", conforme eu havia sonhado, depois do almoço. Aquilo foi só um pesadelo. E ainda bem.

Noite alta, céu risonho...

Se a quietude é quase um sonho e o luar cai sobre a mata, qual uma chuva de prata, num imenso esplendor — isso pede uma serenata. E se tu dormes e não escutas o teu cantor, um que desafinou no primeiro programa de calouros deste lugar, invenção de uns vidas-tortas invejáveis que andavam pra lá e pra cá com seus violões debaixo do braço, promovendo divertimento, animação, festa, em troca de um licorzinho de jurubeba e de jenipapo, tendo sido eles os primeiros a caírem na gargalhada quando o cantorzinho de calças curtas esganiçou a voz, e pararam de tocar dizendo "o que era mesmo que você ia cantar?", e se uma sala apinhada de gente se transformou num coro de risadas demolidor, e se aquilo era impiedoso demais e nem tu percebias, tu, que te acotovelavas na janela para ouvir o teu cantor, que naquele momento tudo o que desejava no mundo era que o chão se abrisse e ele sumisse pela terra adentro, se até tu gargalhavas, reforçando o coro das hienas, não será agora que vais querer ouvir o teu seresteiro apaixonado. "Lua, manda a tua luz prateada despertar a minha amada..." Se não te falha a memória, ainda deves lembrar que a música se chamava *Luar de serenata*. Maldita escolha. Ela me derrubou. Que papelão. Um vexame a ser creditado aos problemas da idade com a mudança de voz, parcos — ou nulos — dotes vocais, uma melodia grandiloquente e uma letra quilométrica, mais apropriadas a um dó de peito operístico do que a um pirralho esganiçado. Mas quem daria tais descontos? Ninguém. Quá, quá, quá. Puxei um lenço do bolso, para limpar o suor e a vergonha. E aguentei firme, estoicamente, não negando aplausos aos vencedores. Mas só Deus sabe como eu estava me sentindo. Inconsolável. Não adiantava nem chamar por mamãe. Ela também ria, a valer. É, aquele também pode ter sido o meu primeiro dia de glória. Como palhaço. E se os admiráveis vidas-tortas que produziam música e alegria — e que continuaram rindo da minha cara, por muito mais tempo — já morreram ou foram embora, para tocar em outras freguesias, não há como reuni-los de novo, numa serenata para uma boneca de milho. Com o que ela estará sonhando?

Noite alta, céu risonho...

Nenhum sinal de chuva. E no entanto não há a menor possibilidade de violões em seresta. Vou ficar lhe devendo um acalanto. Silêncio. Ela está dormindo. Todos dormem. Já o meu pai...

E aí? Ele encheu a cara ou não? Estava conversando com os mortos ou não? Fugiu pro mato, me entregando aos fantasmas, com severas recomendações de que ficassem quietinhos, velando o meu sono? Ou, só de raiva e vingança pela minha demora em voltar pra casa, insuflou as suas almas penadas a fazerem todo o barulho e assombração de que fossem capazes, até me levarem à loucura? Depois eu conto.

Agora paro para ouvir o último lamento sertanejo: o uivo de um cachorro na hora do lobo. Eis aí uma serenata de adeus. É tão lancinante que chega a doer nos meus próprios ossos. Parece que estou ouvindo um sermão aluado do finado doido Alcino, na calçada da igreja, fazendo a noite gemer: "O meu nome é Solidão."

O do meu pai também? O de todo mundo aqui, eu incluído?

Agora, sim, com certeza. Pois agora já não estou mais sob a guarda de uma fada encantadora, que me entreteve até ficar exausta — e adormecer.

Ela atende pelo nome de Inês. Inesinha, Inesita, para os mais queridos. A que me fez perder o ritmo e o rumo das horas, prorrogando o meu medo da noite.

Contemos o que se passou.

Conversamos um pouco lá no ginásio, enquanto ela arrumava a sua mesa, empilhada de pastas e papéis. Começou perguntando por papai. Por que ele não tinha vindo? Falei do passeio noturno, alegando que depois disto o velho preferira ficar em casa.

E ela:

— Ele está muito feliz por você finalmente ter aparecido. Vivia dizendo: "É, professora. São Paulo parece que não dá boa sina pra ninguém. Assunte só: tive um filho que ficou lá vinte anos e voltou pra morrer. Outro foi e nem notícia dá. Que diabo de lugar excomungado é esse, menina?"

— E, quando cheguei, ele nem me reconheceu, sabia?

— Eu sei. Ele veio correndo me contar. Chegou todo esbaforido, parecendo que ia botar a alma pela boca. Dei-lhe um copo d'água. E perguntei o que tinha acontecido: "Totonhim, menina. Totonhim." O nervosismo dele e o jeito como falou em seu nome me deixaram espantada. Numa situação destas, a primeira coisa que se pensa é em má notícia, não é? Mas quando eu quis saber o que era que tinha havido com você, seu Totonho abriu um sorriso maior do que o mundo e disse: "Ele chegou!" Aliviada, cheguei a suspirar, dizendo: "Que bom, mestre." E só depois de beber a água e se acalmar foi que o seu pai conseguiu falar de toda a sua aflição. Primeiro, não havia reconhecido você, logo de cara. Estava envergonhado por causa disso. E você podia achar que ele já tinha ficado broco. Lembra o que é broco?

— Ainda não perdi minha memória, professora. Acho que não estou broco.

Ela riu. E continuou:

— Mas não era só essa a sua aflição. Disse que tinha vindo pedir a minha ajuda. Precisava de uma toalha de mesa, pratos e talheres emprestados. Como você tinha chegado sem avisar, ele não tinha providenciado nada. Estava desprevenido, pois, como eu sabia muito bem, ele passava mais tempo em sua casinha da roça do que na rua. Também queria que eu recomendasse alguém pra dar uma limpada na casa. Afinal, não era todo dia que você vinha aqui. Corri com ele pra minha casa e pedi a Amélia, a minha empregada, pra dar um socorro ao seu pai. E que levasse mais gente, da vizinhança. Pra fazer um mutirão.

— Coitado do velho. Como se eu quisesse ser recebido com toda a pompa. Mas adorei a faxina. Dona Amélia e todo o seu pessoal vão ganhar uma boa gorjeta.

— Não se preocupe com isso. Ela já foi recompensada, com uma folga. E os outros encheram a pança muito bem.

— Isso ainda é pouco, pelo que fizeram.

— Você não precisa se preocupar com essas coisas, Totonhim. Já está tudo resolvido. Mas, voltando ao seu Totonho. Ele contou outra aflição. Estava louco pra vir falar comigo e você não saía de casa, por mais que ele te empurrasse pra rua. Ele disse que quanto mais mandava você ir dar uma volta, pra ver o povo, mais você ficava parado na janela, só olhando a praça. E quanto mais o tempo passava e você não se mexia, mais ele ia ficando agoniado.

— Pobre velho. Se tivesse me dito o que queria, eu teria vindo junto com ele. Seria um prazer vir falar com você e convidá-la pro almoço.

— E a surpresa, menino? Isso não conta, não?

Um a zero pra professora. Deus salve a inteligência das mulheres.

— Tudo o que seu pai desejava era que você encontrasse a casa em festa, assim que retornasse para o almoço.

Dava para entender. Primeiro, porque ele sempre foi festeiro mesmo. Depois, porque de tristeza bastava a que vivemos juntos, no dia em que decidi ir embora. Nem por isso precisava ter se esfalfado tanto.

E ela:

— O que mais deixou seu Totonho preocupado foi não ter reconhecido você, à primeira vista. Dizia e repetia: "Como é que pude esquecer as feições dele? Será que ficou triste com isso? Também, ele mudou muito. Quando saiu daqui, era um rapazinho magricela. Voltou um homem feito, mais gordo e já com uns fios de cabelos brancos. E ainda por cima tomou um chá de sumiço por mais de vinte anos. Nem me passou pela cabeça que era ele que estava voltando. Tomara que não tenha ficado contrariado com o meu esquecimento." Procurei acalmar o seu pai, alegando que essas coisas acontecem, que não foi uma coisa grave, que com certeza você tinha relevado isso. E ele: "Tomara, professora. Tomara." Que pai maravilhoso você tem, hein, Totonhim?

Esta o amava, verdadeiramente, pensei.

E além disso o pai dela já havia morrido, fazia muito tempo. Eu que me achasse um sortudo. O meu ainda estava vivo.

Só não sei é se a professora falou toda a verdade, quando perguntei sobre as bebedeiras dele. Saiu-se pela tangente, ao dizer que o povo falava muito nisso. Ela mesma, porém, nunca o tinha visto bebendo ou caindo de bêbado.

— Se seu Totonho bebesse tanto quanto dizem, já estava morto. E ele está aí, firme. Qual é o problema?

— Foi mais ou menos o que eu disse pra minha irmã Noêmia.

— Fez bem. Enchem muito a paciência dele com essa história de bebida. Por falar nisso, aceita um drinque, na minha casa?

— Com prazer. Só não conte à minha irmã Noêmia que andei bebendo por aqui.

— Ah! Agora me responda uma coisa, Totonhim. Se você tivesse cruzado comigo em outro lugar e em outra circunstância, teria me reconhecido?

— Acho que não.

— E por que não? Mudei tanto assim?

— Claro que mudou. A última vez que te vi, você era uma menina. Agora é uma mulher. E que mulherão! Benza Deus.

Deus salve a mulher madura, na plenitude do seu vigor e forma, a transpirar desejo em cada poro de um corpo experiente, prometedor.

— Seu cachorro. Continua o mesmo.

— O mesmo? Como?

— Um moleque descarado. Vamos?

Fomos.

Para uma casa muito agradável, a começar pelo jardim que a protegia dos olhos da rua. Lá dentro, revelava-se de bom tamanho, confortável, acolhedora. E com todos os itens e apetrechos indispensáveis ao bem-estar: sofá, poltronas, aparelhos de som, de televisão, videocassete, estantes de livros e discos, quadros nas paredes, máquinas de lavar louça e roupa, área de serviço e dependências de empregada, com quarto e banheiro, micro-ondas, torradeira, liquidificador, geladeira e fogão a gás na cozinha, todos os tais equipamentos modernos que aqui nem sonhávamos que existiam, em outros tempos. E mais dois quartos espaçosos, um para hóspedes, o outro servindo de ninho para o repouso da guerreira. E um banheiro social, muito asseado, com toalhas coloridas arrumadinhas, e os demais objetos de toalete em ordem. Enfim, eu havia andado alguns passos por uma ruela interiorana para entrar num apartamento... em São Paulo! Era a primeira casa daqui que eu estava visitando, nesta minha vinda. E estava surpreso com o seu estilo, este novo jeito de morar. Disse-lhe isto.

— Quem mandou ficar zanzando pelas roças e peregrinando pelos cruzeiros? Você podia ter conhecido outras casas bem maiores e mais bonitas do que esta.

— Pois é. E nas roças não vi uma única casa.

— O povo daqui não quer saber mais de roça, não, Totonhim. Quer mesmo é rua, movimento, animação.

— E televisão.

— É isso aí. O que vamos beber, pra começar?

— Com tanta mudança por aqui, será que você teria um licorzinho de jenipapo?

Ela pôs as mãos nas cadeiras, fez uma cara engraçada, fingindo ter ficado ofendida com a pergunta. Depois apontou para a cristaleira. E disse:

— Pode se servir, senhor. Mate a saudade do nosso São João.

Alguma coisa do meu tempo aqui havia permanecido: a licoreira e os cálices, em vidro bisotado. E o sabor das festas de Santo Antônio, São João e São Pedro — de todo o mês de junho. Para acender a fogueira do meu coração. Brindamos e bebemos em silêncio. Como se, tacitamente, evitássemos falar do passado. De sabor antigo bastava o licor de jenipapo. Nada de perguntas indiscretas, de vasculhar a sua vida, a sua intimidade, para saber se ela tinha namorado ou amante, se pensava em se casar de novo, se era verdade que havia sido abandonada pelo marido no dia seguinte ao do seu casamento, por não ser mais virgem. Como no mundo de hoje ainda se podia acreditar numa história destas? O meu pai devia ter inventado isso, para me deixar impressionado ou sei lá com que intenção. Será que estava querendo me empurrar pra ela? Esse velho... "Foi você o primeiro, Totonhim?" Estaria ele alimentando alguma esperança de que eu fosse ficar por aqui? Quem sabe já começava a bater-lhe o medo de morrer sozinho? Para minha sorte, dona Inês não estava com cara de quem ia começar a contar uma história longa e triste. Eu já tinha ouvido uma assim hoje, ao me encontrar com a minha querida tia Anita do meu tio Zezito, a esmoler tocante. E chegava. Ao final do primeiro cálice de licor, Inesita levantou-se, toda animadinha, e disse que ia pegar uns beliscos. Voltou da cozinha com uns pratinhos bem apetitosos. Aipim frito, carne-seca cortada em pedacinhos, uma farofinha para dar uma besuntada nos nacos de carne, torradas, queijo, azeitonas, salgadinhos e mais salgadinhos. Enquanto isso, eu dava uma olhada em seus discos. Flagrado nessa bisbilhotice, ela perguntou se eu queria ouvir alguma coisa em especial. Respondi-lhe que sim e que já havia encontrado. *Rosa*, a *Rosa* do imortal Pixinguinha. Cantarolei:

— "Tu és divina e graciosa..."

E ela:

— É linda, mas não é música do seu tempo.

— Como não? Eu peguei um resto desse tempo. E mamãe vivia cantando: "Tu és, de Deus a soberana flor..." E se essa música não é do meu tempo, também não é do seu. E você tem um disco com ela.

Inesita riu:

— Mas quem é que canta, seu bobo? Não é a Marisa Monte? Esta é do meu tempo. E tem uma voz tão bonita que pode cantar o que quiser, até essa *Rosa* do tempo da sua mãe.

Dois a zero para a professora.

— Agora, preste atenção na letra — eu disse. — Foi feita de encomenda pra você. Por mim.

Ela corou. Não sei se com o que eu havia lhe dito ou porque já estava no terceiro licor.

— Cachorro mentiroso. Tu és mesmo um cabra safado. E depois da música que você encomendou pra mim, o que vamos ouvir?

Pigarreei, limpando a garganta:

— *Besame, besame mucho...* temos bolero nesta casa? Ou você vai dizer que isso também não é do meu tempo?

Tive de esperar que ela parasse de rir, para responder. Não era de hoje que ria muito quando eu ameaçava cantar, eu me lembrava. Disse:

— O bolero durou muito tempo. E ainda hoje anima os bailes do interior.

Mexeu nos discos, pegou um, que me mostrou, perguntando:

— Serve este?

Ray Conniff! *Gracias, señora. Thank you, very much.* Era hoje que eu ia ver e ouvir estrelas.

Mais um licorzinho e já estávamos dançando, coladinhos, um rosto juntinho do outro, um corpo se aninhando nos braços do outro, uma das minhas mãos descendo pela sua cintura abaixo, indo e voltando, entrando em curvas, escalando montanhas, apalpando um pão de açúcar, lentamente. E a outra a acariciar-lhe o pescoço, em leves toques, com as pontas dos dedos. Foi aí que comecei a ouvir o passarinho cantar, ouriçado, ao sentir o cheiro da sua inesquecível gaiolinha. Mais um disco. Outro bolero. "*Dicen que la distancia és el olvido...*" E recomeçava a dança de afagos e beijos. Nos cabelos, na testa, no rosto, na boca. Ardentes. Loucos. Um corpo faz que vai e vem. E o outro também. Dois pra lá, dois pra cá. Dois corpos que se encaixam. Em brasa. E já a pedirem água. Primeiro foi ela a correr para o banho. Voltou enrolada numa toalha, balançando a cabeça molhada, em movimentos provocantes. Também corri para o chuveiro, não sem antes encomprirar os olhos por dentro de suas coxas. Ensaboei-me até ficar cheirando aos meus melhores domingos aqui. Furtei uma gota de perfume para cada cantinho de orelha, um dedo de pasta de dentes, enchi a boca de água e bochechei várias vezes. E fiz a barba, com um aparelho que ela naturalmente devia usar nas pernas, nas axilas e nos pelos púbicos. Queria ficar com o rosto bem lisinho, para esfregá-lo, sem aspereza, em seus pés, pernas, coxas, faces, costas, pescoço, nariz, boca, bumbum, seios, xota. Sim, naquela xotinha loura. Suavemente. Carinhosamente. Ao som de ais e uis de uma lânguida voz a suspirar baixinho: "Isso é tão bom."

Bom mesmo foi despalhar uma boneca de milho chamada Inesita.

— Você ainda se lembra de mim, você ainda me ama? Não pare, não pare. Mais, mais!

E eu em pânico. Temendo uma broxada ou uma ejaculação precoce, tamanho era o meu frenesi — para usar uma palavrinha muito ao gosto dos letristas de bolero — ante o assanhamento e exuberância de um corpo fogoso, a excitar-me das papilas gustativas à última raiz de cabelo. Um corpo em êxtase, no vórtice do prazer. E a pedir mais, mais, mais.

Aguentei firme até ver uns olhinhos azuis revirarem em arco-íris e ouvir uma voz sôfrega, a implorar: "Vem, vem, agora." Fui.

Deve ter sido o efeito do licor de jenipapo, o néctar do milagre. Ansioso e cansado do jeito que eu estava, era para ter morrido de véspera.

— Menina bonita, você é demais — eu disse. E desmaiei.

— Que delícia. Seu cachorro...

E ela também apagou.

Dormi e sonhei com Ana, a Donana, lá de São Paulo, me chamando de broxa e dizendo que ia procurar um amante ou pedir a separação, porque já não aguentava mais viver com um marido que não dava no couro. Acordei assustado com a minha própria voz: "Ana, Ana, Ana! Calma, mulher. Vamos conversar."

Quem respondeu foi uma voz sonolenta.

— Hummmm. Estou tão cansada.

— Descanse — eu disse, beijando-lhe o rosto e acariciando--lhe os cabelos. — Agora tenho que ir.

— Fique mais um pouquinho — ela sussurrou.

Continuei acariciando-lhe o corpo, com as pontas dos dedos.

— Que gostoso — ela suspirou outra vez. — Hummmm.

E voltou a adormecer.

Fiquei ainda um tempinho, contemplando um belo corpo em repouso.

Ah, Inês, Inesita. A gente está sempre indo e vindo. Essa é a nossa sina. O destino dessa terra. Ir e vir. Vir e voltar. E se tudo falhasse na minha vida, daqui por diante, tu me darias guarida? Na tua alcova, no teu corpo esplendidamente conservado e palatável? E o que é que eu iria fazer aqui, além de beber um licorzinho de jenipapo contigo, dançar um bolero contigo e te amar? E quem nos garante que todas as nossas noites seriam tão maravilhosas quanto esta, que já passou? Apalpo-lhe os pés, de mansinho. Encosto o rosto em suas nádegas. Corro os dedos pelas costas. Beijo-lhe o pescoço. E ela já não conseguia dizer mais "hummmm". Catei minha roupa, me vesti, dei uma ajeitada no cabelo, mordisquei uns beliscos à mesa, tomei mais um licorzinho de jenipapo, apaguei as luzes, abri a porta, que puxei e bati à minha saída, tomando cuidado para não perturbá-la. Um cachorro latiu. Corri, temendo também os olhares bisbilhoteiros da vizinhança. Tudo calmo, tudo deserto, tudo certo. Já passava da meia-noite. Era a hora dos lobos, se cá existissem, além do meu pai. Olhei pra lua e mandei-lhe um beijo agradecido. Fazia era tempo que eu não via um céu tão lindo. Resolvi andar mais um pouco. Caminhei até a praça principal, para olhar de casa em casa, me lembrando dos Natais em que íamos de janela em janela, para ver quem tinha feito o presépio mais bonito. Como não havia uma única janela aberta, nem avistei pessoa alguma para me responder um boa-noite, desisti de andar por uma calçada abaixo, e atravessei a praça, na direção do mercado, o prédio mais imponente daqui, depois da igreja. Esperava encontrar alguma bodega aberta, por trás do mercado, na rua dos fundos, no caminho do cemitério. Se a estas horas eu achasse uma cervejinha, a levaria para regar a cova do mano Nelo. E beberia outra pelos seus pecados, mais uma pelas suas boas qualidades e uma penúltima em nome da saudade. Inesperadamente, alvissareiramente, ouvi um barulho ao longe. Vozes! E logo percebi um grupo de homens andando em sentido contrário ao meu. Ora viva, nem todos estavam dormindo. Eu já não me sentia tão só. Restava esperar que não confundissem o caminhante solitário com um lobisomem. Ao passar por eles, notei que era um cortejo acompanhando um preso que mal se aguentava nas pernas e estava sendo arrastado por dois policiais fardados e armados. Perguntei se haviam pegado um dos assaltantes do supermercado.

— Assaltante? Que assaltante, que nada — respondeu um dos homens, exaltado. — Esse aí é um pobre-diabo que não tem nada a ver com a história.

E outro:

— É um parente nosso que tomou umas cachaças, quebrou um copo e quis partir pra briga com o dono da venda, quando ele reclamou do copo quebrado.

Um terceiro:

— Não era caso pra cadeia. Até porque, quando os soldados chegaram, tudo já tinha se acalmado.

Segui o cortejo, interessado no desfecho do caso. Afinal, todos ali pareciam inconformados com a prisão do bêbado e deviam estar dispostos a provocar a maior confusão para impedir os policiais de enfiá-lo no xilindró. Perguntei de quem se tratava, se era alguém conhecido.

— É gente boa, gente da gente. Se você é daqui, também conhece ele. Não lembra de Chiquito, filho do finado Manezinho da Jurema?

Meu primo, ora. Em segundo grau, mas primo, porra. Logo o Chiquito, que uma vez me deu uma gaiola com o meu primeiro canarinho amarelo? E aquele bando todo que o acompanhava devia ser de parentes meus. Avancei o passo e me aproximei dos policiais que arrastavam o preso. Chiquito me olhou com uns tristes olhos arregalados. Se o largassem, se esborracharia no chão. Estaria me reconhecendo?

— Chiquito, você se lembra de mim?

Ele arregalou os olhos mais ainda e grunhiu:

— Ahnnnn?

Um dos policiais riu. E disse:

— Manda ele fazer um quatro aí pra gente ver.

O outro também caiu na gargalhada. Chegamos à delegacia. A mesma de antes: a sala com a mesa do delegado, algumas cadeiras, um banco de madeira e o corredor para os quartos que serviam de depósito de presos. Sem cama, pia, janela, vaso sanitário, nada. E piso de cimento, no qual jogavam sal, para castigar os pés e os corpos dos encarcerados. Era o que se dizia, antigamente. Seria ainda assim?

A delegacia estava às moscas, isso dava para se notar da porta. Enquanto um soldado carregava o preso para o cárcere, o outro bloqueava a entrada, tamborilando no revólver à cintura e falando grosso:

— Ele agora vai nanar, pra parar de fazer arruaça. Quando acordar, a gente manda ele pra casa.

— Perguntei pelo delegado.

— Pra que você quer saber do delegado?

Disse que era primo do preso.

— Primo dele? Todos esses aí também dizem a mesma coisa. E eu nunca vi você por aqui. É da Jurema? O delegado não está. Vão se queixar ao bispo. Todos pra casa, se não quiserem passar a noite junto com aquele bêbado fedorento.

Alguém gritou:

— Solta o homem!

E se fez um coro:

— Solta, solta, solta.

O outro policial veio correndo para a porta, de fuzil em punho. Disse: Se fizerem baderna, eu passo fogo em todo mundo.

Silêncio. O que falara comigo antes tentou ser conciliador:

— Se você é primo dele, como diz, sabe que ele mora longe, lá na Jurema, daqui a muitas léguas. Agora, me diga: no estado que ele está, caindo de bêbado, dá pra botar ele em cima do seu cavalo e mandar de volta pra casa? Deixa ele aí curando a bebedeira, que logo cedo vai embora. E entre ele correr o risco de cair do cavalo, dormir na sarjeta ou aqui dentro, que diferença faz?

Nisso uma janela se abriu e um terceiro soldado dorminhoco apareceu, com uma metralhadora nas mãos. Parecia estar furioso por ter sido acordado com o quiproquó armado em frente da delegacia. E o pior foi que a amedrontadora aparição surgiu no exato momento em que eu perguntava para o fardado mais falante e aparentemente menos ameaçador:

— E os assaltantes? Alguma notícia deles?

Ele deu de ombros. E disse:

— Não, nenhuma. Ainda não.

Uma voz se alevantou, desafiando revólveres, fuzis e metralhadoras:

— Prender um matuto bêbado é fácil. Quero ver é vocês pegarem bandido escolado.

Todos gargalharam. E gritaram:

— Soltem o homem!

O da janela engrossou:

— Vamos parar com esta baderna! Debandar, debandar. Vamos circular. Todo mundo pra casa, seus vagabundos.

Como ninguém se mexeu e o zum-zum-zum continuou, o bravo policial militar, portador de uma poderosa arma de fogo, acionou a sua máquina, detonando uma descarga para o alto e provocando um corre-corre assustador. Bati os meus calcanhares em retirada, até me ver fora do alcance da mira das balas. Até aqui eu estava arriscado a ser atingido por uma bala perdida, até aqui, no mundo do silêncio. Que porra. Li em algum lugar, com certeza numa crônica de jornal sobre os dramas brasileiros que acabam em farsa, que neste país são sempre os personagens secundários os que pagam o pato. E aqui estava um exemplo: o meu primo Chiquito, um capiau que cometeu a imprudência de beber demais e quebrar um copo — preso. Assaltantes que roubaram, deram tiros e coronhadas, mandaram dois para o hospital e ainda sequestraram um homem — soltos. Nada a estranhar. Isto é Brasil.

Desisti de bater perna à procura de uma birosca ainda aberta. Vencido pelo cansaço, resolvi fazer uma paradinha na calçada da igreja, me sentando em seu último degrau para estirar as pernas, já imprestáveis. No balanço do dia, duas ocorrências policiais, agitação demais para um lugar que sempre viveu na santa paz de Deus e só despertava da sua velha pachorra e preguiça para fazer o sinal da cruz. Antigamente, em tempos mais felizes, quem sabe. Pausa para meditação. Na velha calçada de sempre. De onde as vistas alcançavam os faróis que apontavam na Ladeira Grande, como dois vaga-lumes gigantes, a incandescerem a estrada. Por esta calçada de igreja desfilavam meninas de azul e branco, para as quais apaixonados anônimos dedicavam belas canções através do Serviço de Alto-Falantes. "Por ti serei capaz de todas as loucuras.../És a rainha dos meus sonhos, és a luz.../ Índia, teus cabelos nos ombros caídos, negros como a noite que não tem luar..." Esta calçada era a boca do proscênio para os melhores desempenhos dos meus idolatrados vidas-tortas, à luz da lua, quando violões, sanfonas, pandeiros, trompetes e saxofones em disponibilidade tocavam, merencoriamente, na esperança de que as meninas saídas do banho, cheirando a sabonete de dia de missa e vestidas de cambraias engomadas, chegassem às janelas, para ouvi-los.

Noite alta, céu risonho...

Um galo canta: "Lá vem chegando a madrugada..." Outro responde: "Acorda, que lindo!" E outro: "É madrugada, é de manhã." Outro: "Flor da madrugada, é de manhã. Vou pela estrada, é de manhã." E outro: "Vou ver minha flor..." A terra dorme. Com o que este lugar estará sonhando? Durante o dia achei que o cenário era perfeito para um filme de *cowboy*.

Agora o cenário está desmontado. Fecharam o último *saloon*, nenhum pistoleiro chegando, ninguém toca uma gaita, realejo ou violão. Nenhuma moça à janela. Nenhum Bob Nelson cantando: "Ô-ti-ro-lê-i-ti." E eu não serei mais gongado num programa de calouros. *The end*. Só os galos cantam. E os cachorros uivam, solidários com as minhas velhas dores. Ou roídos de inveja dos galos, que, além de serem bonitos, sabem cantar. O cenário da noite está pronto para um filme de terror. Uuuuuuuuuuuuuuuuuuuuuuuuu!

Não perguntes por quem os cachorros uivam. Pode não ser por ti.

Eu não devia ter abandonado o meu pai.
Espero que ainda esteja vivo. Ainda que caindo de bêbado.
Adivinha como o encontrei?

Nem foi preciso usar a chave que ele me deu, a prova de que já não me considerava mais uma criança. A porta estava encostada. Destrancada. Confirmado: ele não tinha mesmo medo de ladrão. Empurro-a, cuidadosamente, para não fazer barulho e despertá-lo. É madrugada, é de manhã. E o meu pai está sentado na cadeira de sempre, ao lado da porta, como se tivesse passado toda a sua vida ali, à minha espera. Foi assim que o encontrei hoje, na boca da noite, quando voltei da minha caminhada pelas roças. E era assim que ele ficava, no meu tempo de menino, toda vez que vínhamos passar uns dias aqui na rua.
— Era você que não ia demorar?
Eis-me diante do pai de outros tempos.
— Desculpe, velho. Conversa vai, conversa vem, o tempo voou e eu acabei me atrasando.

— É, a farra parece que foi boa mesmo. Você tá com um cheiro danado de mulher e de bebida. Quer um café amargo?

Café amargo. A velha panaceia para curar pileque. O meu pai estava exagerando. Ou me gozando.

— Primeiro, mestre Antão: fui abraçado por uma amiga muito da cheirosinha. Segundo: bebi um licorzinho de jenipapo, para matar a saudade do nosso São João. Terceiro: se eu tomar um café agora, perco o sono. E preciso dormir um pouquinho, porque amanhã cedo vou puxar o carro.

— O quê? Já vai embora assim, tão ligeiro? Não vai ficar até o nosso São João?

— Pois é, papai. Não dá pra ficar mais tempo. Tenho que voltar. Tirei poucos dias de férias. E vendi os outros para a empresa, pra poder pagar a viagem. Hoje é caro viajar pelo Brasil.

— E eu que pensava...

— O que o senhor pensava?

— Que você tinha vindo pra ficar. Muitos não voltam e ficam?

— E a minha mulher e os meus filhos?

— Telefone pra São Paulo e mande eles virem pra cá.

— Não é assim tão fácil.

— Como não? Hoje você não ligou pra lá na maior facilidade?

— O que não é fácil é fazer com que eles troquem São Paulo por isso aqui.

— E você, também gosta de lá?

— Muito. Tem muita coisa ruim, mas também tem muita coisa boa. Já me acostumei a viver numa cidade grande. E o que era que eu ia fazer aqui, papai?

— Você podia ser professor no ginásio.

Ah, bom. Inês pra cá, Inês pra lá e ele foi tendo uma ideia.

— Sabe por que a sua adorada Inesinha prefere viver aqui, velho? Porque, numa cidade maior, com o seu salário de professora ela ia morrer de fome. Por falar nisso, como conseguiu comprar a casa onde mora? Não pode ter sido com o que ganha no ginásio.

— Foi com a herança que o pai dela deixou. Era um homem de posses. Tinha uma fazenda grande e muito gado, não lembra?

— Sim, eu me lembro. E tinha uma casa bonita, toda caiada, toda branca, com portas e janelas azuis. No melhor estilo colonial.

— Olhe, Totonhim. Tô brincando com essa conversa de você ficar aqui pra sempre. Mas bem que você podia passar mais uns dias. Por que essa pressa toda? Veio buscar fogo?

Neste lugar as pessoas choram quando você vai embora. Porque é quando você parte que bate a solidão. Pra que fui anunciar a minha partida antes da hora? E que diferença fazia dizer isso agora ou ao acordar? Esse papo de fim de noite com o meu pai era como se ele estivesse me arrancando os cabelos a alicate, me alfinetando todo o corpo, cortando as minhas unhas com um facão. São tantos os filhos, netos, genros, noras, compadres, parentes e aderentes que vêm e que vão, por que logo comigo isso, por que fui o eleito para essa desbragada demonstração de querença, de apegamento? É aí que me lembro de uns versos de Cassiano Ricardo, um paulista que eu lia quando morava aqui: "Não, não foram não/os anos que me envelheceram/Longos, lentos, sem frutos./Foram alguns minutos." Peço licença ao meu pai e vou ao banheiro. Sigo pelo corredor adentro, passando por portas fechadas dos quartos que eu imaginava cheios de fantasmas. Sosseguem, queridos. O dia já começa a clarear. Hoje vocês não me pegam. Fica para a próxima. Com certeza um dia eu voltarei. O meu pai acabava de me deixar convencido disto. "Foram alguns minutos." Retornando lá do fundo da casa, trago-lhe uma boa notícia. Há nuvens no céu. Parece que vai chover mesmo. Ele riu, voltando a parecer um homem feliz.

— Eu não disse? Mesmo com toda essa pressa paulista, você vai ver chover muito, antes de ir embora. É uma pena que não queira esperar, para ser coroado o rei da chuva.

— Quem sabe na próxima vez?

— Ora muito bem. Gostei de ouvir isso. Quer dizer que você não vai levar mais vinte anos pra voltar aqui? Outra coisa, Totonhim: e o nosso passeio que estava combinado? Você vai ou não vai conhecer as minhas galinhas?

— Claro que vou. Assim que acordar. Depois pico a mula. Agora vamos dormir. Boa noite, velho.

— Deus te abençoe.

É, ele estava me dando uma volta. No tempo. Só que eu já tinha perdido o costume de pedir-lhe a bênção antes de ir pra cama. Entro no quarto e ele permanece sentado, ao lado da porta. Imóvel. Será que ia passar o resto da noite plantado ali, de sentinela, vigiando o meu sono e conversando com os mortos, pedindo-lhes silêncio para não me assombrarem? Em que tanto pensava? Quais seriam as suas memórias, sonhos, reflexões? Adormeço. Temi tanto os fantasmas e me esqueci dos pernilongos. Estes, sim, foram os que fizeram a festa, chupando o meu sangue como se fossem vampiros insaciáveis. E eu reagindo a tapa, inutilmente. Acertava mesmo era os meus ouvidos e braços. E eles voltavam a zunir e a me ferroar. Durma-se com um barulho desses. Mas consegui uns dois dedos de sono, sei lá como. E sonhei com uma cerimônia de casamento. O noivo era eu, com um terno cinza de listras brancas, no melhor estilo Al Capone, tomado emprestado ao meu pai, que me dizia: "Totonhim, eu só usei este uma vez na vida, quando levei sua mãe ao altar. Veja como ele está novinho. Ficou esse tempo todo guardado no fundo da mala, conservado em naftalina. Porque assim eram os nossos costumes. Todo homem tinha de guardar o terno do seu casamento, para sempre. Num tempo em que casamento era um ato sagrado, tinha as bênçãos de Deus e só podia ser desfeito pela morte. Mas as coisas mudaram muito no mundo. A ponto de um filho meu ter de tomar um terno emprestado para se casar. E se empresto o meu é porque já não tenho dinheiro para mandar fazer um pra você. E também pra que você não pense que me tornei um mau pai." Havia poucas pessoas na igreja: tia Anita, que havia tomado um banho longo e profundo, feito os cabelos e as unhas, depilado as sobrancelhas e maquiado o rosto. Além de ter comprado um vestido novo, deslumbrante. Ela ia ser a minha madrinha. Meu pai era o padrinho, e estávamos à espera de que entrasse na igreja trazendo a noiva, que escolhera o Údsu e a mulher dele para suas testemunhas. Todos os filósofos e loucos da venda compareceram, cada um com uma lata de cerveja. O amarelinho, que tremia sem parar ao contar e recontar como fora o primeiro assalto deste lugar, rezava sem parar, pedindo perdão à Virgem Santíssima pelos seus maus pensamentos: "Santa mãe de Deus, rogo a vossa piedade. Este vosso servo pecou, ao pensar que aquele noivo ali no altar estava mancomunado com os assaltantes. E ele veio aqui para se casar, na vossa Santa Igreja." Os três soldados se ajoelharam, se benzeram e rezaram, baixinho. Dava para se notar que estavam rezando, pelo movimento dos seus lábios. Deviam estar querendo ser perdoados, por me terem tratado como um baderneiro. Já o meu primo Chiquito, esse, coitado, não se aguentou nas pernas e desabou sobre um banco da igreja, roncando. O padre jogou-lhe água benta e o sacristão balançou o turíbulo em cima dele, desinfetando-o com o cheiro do incenso. Um garoto entrou na igreja, timidamente, encaminhando-se na direção do noivo. Trazia um embrulhinho na mão. Disse: "Trouxe uma lembrancinha pro senhor. Espero que goste." Agradeci-lhe, com as palavras de praxe: "Não precisava se incomodar. Não precisava..." Abri o embrulho, reconhecendo o presenteador. Era o menino solitário do Cruzeiro da Piedade, que me agraciava com um estilingue. "Aqui a gente chama isso de badogue." Apertei-o em meus braços, dizendo-lhe: "Muito obrigado, muito obrigado. Você está me fazendo lembrar de quando eu andava com um desses na mão, caçando passarinho. Nunca acertei em nenhum. Todos pulavam de galho em galho, zombando da minha má pontaria. Hoje eu não tenho coragem de atirar neles. Os passarinhos enfeitam a vida. São os cantores da natureza. Mas vou guardar muito bem guardado o seu badogue, como recordação do pior caçador que essa terra já teve." O padrinho da noiva se impacientou com a sua demora. "Será que ela desistiu?" Olhei para o barrigudo Údsu, que não conseguia abotoar o paletó, de tão pançudo. "Calma, companheiro. Uma noiva sempre leva mais tempo pra se vestir do que você pra dar o nó na sua gravata, até acertar o comprimento dela sobre a pança." Todos riram, inclusive o padre e o sacristão. Ah, sim, o padre: era o garoto que rezava uma missa no Cruzeiro dos Montes. E tinha como ajudante o mesmo menino, que queria ser poeta. E os dois arrancavam suspiros de admiração de todos os presentes. Estavam impecavelmente vestidos, compenetrados, solenes. Um, todo paramentado, inaugurando suas vestes sacerdotais. O outro, num terno branco, como se fosse o dia da sua primeira comunhão. "Um padre-menino, que beleza", suspirou tia Anita, embevecida. "E o sacristão parece um anjo, o anjo que Deus mandou para me levar pro céu." E começou a rezar, aos brados: "No céu, no céu, com minha mãe estarei. No céu, no céu, com minha mãe cantarei." Foi então que um dos frequentadores da venda do Údsu ergueu o braço, com uma lata de cerveja na mão, e deu o grito de guerra: "Vamos lá, pessoal. Todo mundo. No céu, no céu, skindô, skindô, lê, lê." Toda a igreja balançou em ritmo de samba. O menino-padre tocou uma sineta, pediu silêncio, impôs a sua ordem, sem precisar da ajuda dos três soldados. E eis que, finalmente, a noiva apareceu, vestida de branco, arrastando uma cauda longuíssima, linda, maravilhosa, escoltada pelo meu pai, que parou, pediu a palavra e disse: "Hoje não se morre mais." Cochichei no ouvido da noiva: "Puxa, Inesita, nós não dissemos nada um para o outro. Nem eu de mim, nem você de você. Quando eu me levantei da sua cama e saí de fininho, você gozava nos braços de Morfeu. Depois eu pensei: nós não nos dissemos nada." Ela riu: "E precisa?" Tudo bem, mas eu continuava perturbado por não ter perguntado nada a ela, que também não se interessou em saber sequer se eu era casado, se tinha filhos, o que fazia na vida, se estava bem ou não, se me sentia feliz. Linda ela estava. Sorridente, divina, majestosa. Beleza de sonho: os meus inesquecíveis vidas-tortas ocuparam o coro da igreja e começaram a tocar *Luar de serenata*. Isso era demais para o meu velho e sofrido coração. E continuaram tocando todas as velhas canções que alguém, com muito amor e carinho, oferecia a alguém, todas aquelas músicas que sempre me fizeram lembrar daqui. Foram aplaudidos de pé. Não me surpreenderia se Debussy aparecesse de repente, com um piano às costas, para tocar *Clair de lune* e Gounod, com um órgão, para nos levar ao céu com a sua *Ave-Maria*. Enlevado pela música e tudo o mais, o padrezinho iniciou o seu ofício, naturalmente se sentindo o próprio Menino Jesus: "Maria Inês Vandeck de Albuquerque deseja receber Antão Filho por seu legítimo esposo?" "Sim, seu padre. Mas tem um porém: o verdadeiro nome dele é Totonhim." Ele pigarreou, lançou um olhar severo na direção dela e disse: "Quem tiver alguma coisa a declarar que possa impedir este matrimônio..." Uma voz interrompeu o sacerdote, quebrando a solenidade da cerimônia: "Eu tenho, sim." Todos os rostos se voltaram, atônitos. E o que vimos foi um homem apontando uma arma para o altar, na direção dos noivos. Repetiu: "Eu tenho, sim. E isto aqui vai falar por mim." Um soldado, rapidamente, pulou sobre ele e tomou-lhe a arma. Tentei identificá-lo, sem conseguir, pois sumiu como apareceu — num passe de mágica. Pensei: alguma coisa tinha que dar errado. Esquecemos de convidar o ex-marido da Inesita. Deve ter ficado chateado com a desconsideração. E, antes que o padre-menino reiniciasse os trabalhos, um carro parou na porta da igreja, buzinando loucamente. De dentro dele saíram uma mulher elegantíssima e duas crianças, que mais pareciam guardas de honra retardatários. Puxando os filhos pelas mãos, nervosamente, ela foi entrando, aos berros: "Antãozinho, seu safado. Era assim que você vinha aqui pra ver o seu pai? Seu corno, seu viado, seu filho da puta... ah, desculpe, seu padre." Deu uma volta em torno do garoto de batina. "Hããã! Padre, que padre? O que tô vendo é um fedelho brincando de fazer um casamento fajuto. Olha aqui, guri, você não tem mãe, não?" Uma Maria, dentre as muitas Marias minhas primas, se levantou: "Tem, sim. Aqui. Mas nunca aprovei essa besteira de ele querer ser padre." A furiosa invasora da igreja pegou o garoto e o jogou para a mãe, dizendo: "Toma que o filho é teu. Faça o favor de dar-lhe umas boas palmadas." Para Inesita: "Bem-ê, quer o maridão aí pra você, quer? Leva, leva. E aguente as bebedeiras dele, o fedor do álcool empesteando todo o quarto, todas as noites, as queixas dele, todo dia, do chefe, dos colegas de trabalho, do trânsito, dos amigos, do emprego, do governo, do país, da falta de perspectivas, da vida, do mundo.

E tem mais, querida: ele ronca, hein? E é chegado a umas flatulências retumbantes. E, ó, o salário dele não é lá essas coisas, não. E ele já está na fila dos que vão ser mandados embora do emprego. Amorzinho, não tem lido o que os jornais dizem sobre o Banco do Brasil, não? O enxugamento de pessoal, essas coisas? Pois é, minha cara, ele trabalha lá. Veja bem com quem você está se metendo. E o pior, muito pior, sua sirigaita: ele já não funciona essas maravilhas, não. Orra, minha filha, se você não está entendendo é porque é uma loura burra mesmo. E se com tudo isso ainda quer levar esse bagulho pra você, leva logo pro diabo que o carregue. Mas não diga que não avisei. Doida pra me livrar dele eu tô é há muito tempo." E os meninos, em uníssono: Pai-ê! Cadê o vô da Bahia? Qual é ele aqui?" O meu pai: "Totonhim, seu cachorro" — agora ele me chamava de cachorro no tom com que xingava os seus desafetos. "Totonhim, seu sem-vergonha, quer dizer que você trabalha num banco e nunca me disse isso? Ai, se eu soubesse." Gozado, o fato de eu já ser casado, com dois filhos, e estar me casando de novo parecia não ter a menor importância. Imperdoável era eu ser um bancário. Também, não tinha sido um empréstimo num banco o que o levara à ruína? Ele tirou o paletó e a gravata, descalçou os sapatos, despojou-se de todos os presentes que eu lhe trouxera pelos seus oitenta anos e jogou tudo em cima de mim. "Faça o favor de nunca mais aparecer na minha frente." Os três soldados me cercaram: "Teje preso." A voz genuinamente paulistana, que tanto escarcéu havia acabado de provocar na igreja, agora choramingava, carregando nos erres: "Amorrrr! Acorda, amorrr, deste sonho ruim." Eis aí a minha Ana, minha querida Donana, de tantas lutas junto comigo, nem todas inglórias, casa, comida e roupa lavada, trabalheira com as crianças, seu dinheirinho suado de funcionária pública somando com o meu para segurar uma barra cada vez mais pesada, parceira de estresse e de sonhos já vividos e por viver. Ou não teríamos mais sonhos próprios? Meu filho Rodrigo: "Paiê, volta logo pra casa. A minha febre já passou." E o Marcelinho: "O que é mesmo que você vai trazer da Bahia pra gente? Não traz só fitinha do Senhor do Bonfim, não, tá, pai?"

Acordo. Com barulho de chuva, cheiro de terra na chuva, cor de chuva, luz de chuva. E me levanto, chamando pelo velho. Para ver a chuva caindo em pingos grossos, generosos. As pérolas de chuva vindas de um país onde nunca chove, como cantava um canário belga chamado Jacques Brell. Chamo o meu pai outra vez, mais outra e mais outra. E nada. Ele não responde, nem aparece. Meu Deus! Terá morrido? Fugiu pro mato? Fecho a janela do quarto, antes que inunde. Não mais o fogo. Não será hoje que o mundo vai se acabar. A água está rolando. Ando pela casa inteira, em penumbra, totalmente fechada. "Papai, papai..." Silêncio. Barulho, só o da chuva no telhado. Nem sombra do mestre Antão, o seu Totonho meu pai. É agora que vou começar a ver assombração. Vou pra lá, venho pra cá, olho pra ali, olho pra aqui e acabo descobrindo uma porta de um quarto semiaberta. Apreensivo, empurro a porta, devagarinho. "Papai, papai..." E lá estava ele, estirado numa cama, esquecido do mundo, longe de tudo. E das minhas preocupações. Desmaiado. Dormindo como um anjo. Quem mandou ficar conversando com os mortos até o dia amanhecer? Agora ressonava. Profundamente.

Volto pra cama na esperança de dormir mais um pouquinho. Preciso estar descansado para encarar a estrada, daqui a pouco. A longa estrada de volta. Mas não é só por isso que conseguirei tirar uma boa soneca. É pelo alívio de ter encontrado o meu pai dormindo, quando já começava a imaginar outras coisas.

Se para ele a noite ainda não terminou, pra mim também. Durmamos mais um pouco, mais um pouco, mais um pouco, até a chuva passar. Chove, chuva. Chove verde nos sonhos do meu pai. Porque o verde é a cor dos seus sonhos, eu sei. Desde menino.

5.
A Despedida

Na toca do lobo

— Totonhim!
Fala quem chamou. Por que me chamam?
Batem na porta.
Pra que tanto barulho? Qual é o problema?
Não venham me dizer que o meu pai se foi. E que morreu sorrindo. Feliz, feliz. E que já estava morto quando o vi pela última vez e achei que ele dormia como um anjo. E que só esperou o último filho aparecer, para dar por encerrada a festa dos seus oitenta anos.
Não, não me perguntem a que horas vai ser o enterro. Ainda não sei. Nem se vou enterrá-lo aqui, ao lado do seu amado, idolatrado, salve, salve, filho Nelo, ou se levarei o seu corpo para São Paulo, para o mausoléu da minha família de lá, onde o meu sogro há anos aguarda uma boa companhia, metido num pijama de madeira. Este também era muito festeiro. Bateu com o carro num poste, na volta de uma festa junina na periferia da cidade, depois de dançar, brincar, se divertir a valer, enchendo a caveira de quentão. Chovia muito naquela madrugada. "Que noite, hein?" — e estas foram as suas últimas palavras, ditas com

alegria, pois ainda parecia em festa, pela estrada afora. "Cuidado, pai. Paiê!" O carro derrapou e chocou-se contra o poste. Ele apagou ali mesmo, ao volante. Com um sorriso nos lábios ensanguentados. Os outros ocupantes do veículo acidentado — mulher, filha e genro — escaparam ilesos, com um ou outro ferimento leve. E eu perdi para sempre o meu melhor companheiro de bar, nas manhãs de sábado, meu parceiro preferido no baralho, meu adversário mais temido diante de um tabuleiro de xadrez, meu grande, gordo e bonachão amigo. Um ex-diretor do Banco do Brasil! O meu general de pijama, como eu o chamava, por já estar aposentado. Ao que sempre reagia: "Por favor, não me chame de general. Nunca fui um torturador. Nem desocupado. Vamos aos trabalhos." E, rindo como sempre, abria uma garrafa de vinho do Porto, que adorava, nas noites frias. "Ainda bem que você chegou." Claro, com minha presença a patrulha da casa relaxava um pouco e ele podia entregar-se à gula, aos seus prazeres tantas vezes proibidos. Em sentinela permanente, a vigiar-lhe todos os movimentos em direção a um prato e a um copo, minha sogra era quem parecia ter os ombros bordados de patentes. Naquela noite, com a quadrilha correndo solta no salão, o quentão rolando de boca em boca, ela se desarmou, caiu na gandaia e perdeu de vista o seu prisioneiro domiciliar. Que noite, hein, meu general? Ele e o meu pai vão se entender muito bem.

Por que aqui eu penso tanto na morte? Para falar de corda em casa de enforcado?

— Totonhim!

Continuam me chamando. Até que enfim se lembraram de mim. Mais vale ser lembrado pelo apelido do que nada. E seria querer demais esperar que saibam o meu verdadeiro nome. Antão, filho do mestre Antão, o seu Totonho do finado Sinhô... é uma longa e complicada história para a memória curta do novo povo.

— Totonhim!

Ainda não sei de onde vêm as vozes que me chamam. Se do fundo do tempo, das profundezas dos meus sonhos — papai a me acordar para rezar a ladainha, ir ao curral buscar o leite, levar o gado para o pasto, ajudar nos consertos das cercas, pegar no cabo de uma enxada e capinar a terra, até as bolhas e os calos das mãos estourarem; mamãe a dizer que já estava na hora da escola, "homem, deixe o menino estudar, quando chegar da escola ele volta pro trabalho", e a me empurrar para outros serviços e mandados: comprar sal e açúcar na venda, botões e carretéis de linha no armarinho, levar a máquina de costura pra consertar, etc. — ou se estava sendo chamado da janela, na porta do quarto, ao pé da cama, aqui e agora. Desperte e cante, Totonhim. Pegue um passaporte para o futuro. E ponha os seus sonhos na Internet.

— Totonhim!

Falam alto. Berram. Coisa de doidos. Devem estar achando que sou eu quem está morto. Deixem de assanhamento, de precipitações. Silêncio, por favor. Estou apenas fazendo um ajuste de contas com o meu sono, em atraso mortal, e o cansaço. Aquela moeção de corpo e espírito que no mundo de onde venho chamam de estresse, já ouviram falar? Junto com o desgaste que provoca o tal do estresse, podem vir outros males irremediáveis, a grassar em corações e mentes angustiados. Aquilo que aqui a gente chamava de consumição, lembram? Por isso preciso dormir, sonhar, relaxar e dar umas boas risadas, de vez em quando.

— Totonhim!

Meus pés estão doendo. Sinto cãibras nas pernas. Bons sinais. Ainda estou vivo. Mas precisando urgentemente de uma gueixa que me massageie todo o corpo, empregando a secular técnica de fisioterapia oriental a favor da circulação do meu sangue e do relaxamento dos meus músculos retesados. Viva São Paulo, o braço do Japão na América do Sul. Tenho de voltar pra lá. Correndo. Se é que ainda tenho pernas para a viagem de volta.

— Totonhim!

Se em São Paulo contamos com as mãos regeneradoras dos japoneses, aqui temos estas vozes arrastadas, gostosas, igualmente relaxantes. Levam um dia para terminar uma frase. Os daqui não devem se encher de gases, como os apressados de todo o mundo. Agora sou eu quem não tem pressa. O vozerio e o seu zum-zum-zum ao fundo me embalam, docemente. Aproveito e durmo, como nunca. Fazia era tempo que eu não dormia tão bem. Como se tivesse voltado aqui para me sentir uma criança.

— Mosquitinho, mosquitinho...

E assim sou despertado, finalmente. A fogo! Com a ponta de um palito de fósforo em brasa queimando o meu braço. Salto da cama de um pulo só, furioso. A ponto de socar o brincalhão abusado.

— Lembra do mosquitinho, Totonhim?

Eis aí o meu pai. Vivo, bem-humorado e... torturador! Só rindo. Na porta do quarto, outros rostos se desmancham numa contagiante — e abominável — gargalhada.

Como podia ter esquecido o mosquitinho, ainda mais se acabava de senti-lo na própria pele? Era uma brincadeira de menino levado, para sacanear os dorminhocos. Lembra a moxa dos japoneses, que queimam a planta dos pés com a mecha de um algodão de artemísia. No fundo, no fundo, sempre achei que o meu pai tinha alguma coisa de oriental. Vai ver, era por ter passado a vida vendo o sol morrer no Brasil para nascer no Japão. Coço o braço, ainda sentindo a queimadura.

Ai.

Ai se ele não tivesse oitenta anos. E não fosse o meu pai. Ia levar um cacete.

— Quem era mesmo que tava doido pra ir embora cedinho? Vai, vai, me tortura, me goza, sacaneia mesmo, ô velho.

Ele parecia ter acordado na sua melhor forma. A felicidade batera em sua porta, trazendo chuva e visitas. E o filho retardatário — a sua rês desgarrada — ainda não tinha pegado a estrada, sumindo no mundo outra vez, sabe-se lá por quantos anos.

Olho no relógio. São as mesmas horas de ontem. Dez da manhã. Um bocado tarde, para os parâmetros locais. Aqui, quando se fala *cedo*, diz-se ao raiar do dia. Fazia vinte e quatro horas que eu havia chegado. Já era para estar longe, no caminho de volta.

— Bom dia — eu digo. — Todos passaram bem a noite?

Todos: o meu pai, Inesita, a minha fada encantadora, e sua fiel Amélia, que, naturalmente, viera buscar os pertences da sua boníssima patroa — pratos, talheres, toalhas de mesa, etc —, sem os quais o almoço de ontem não teria sido um banquete imperial.

— Eu não disse, Totonhim? Quando eu disser que vai chover, pode escrever.

Ah, o velho. Esse menino passarinho.

— Você trouxe a chuva — diz Inesita, com um sorriso sedutor.

Aponto para o meu pai.

— Ele me garantiu que se chovesse eu ia ser coroado como o rei da chuva. E agora, velho?

— Agora só esperando a próxima. Você dormiu demais e a chuva já passou.

— Bom, com licença, que eu vou tomar um banho. Não vá embora, não, dona Amélia, que preciso falar com a senhora.

Inesita riu.

— É só eu chegar aqui pra você ir tomar banho.

Pego-lhe no braço e digo:

— Vem cá no quintal que eu quero te mostrar uma coisa.

Arrasto-a para os fundos da casa e cochicho em seu ouvido:

— Pena que vou ter de lavar o seu cheirinho de ontem.

Ela me dá um beliscão:

— Cachorro.

Retribuo com um beijo e corro para o chuveiro.

Ontem, à mesa, ao me sentar diante dela, eu me lembrei de um poema do português Alexandre O'Neill, que descobri há séculos numa antologia de poetas lusitanos, comprada num sebo em São Paulo — e já toda ensebada mesmo —, e que começava assim: "Nos teus olhos altamente perigosos/vigora ainda o mais rigoroso amor..." Agora, me lembro como termina: "Nesta curva tão terna e lancinante/que vai ser que já é o teu desaparecimento/digo-te adeus/e como um adolescente/tropeço de ternura/por ti." O poema tem por título *Um adeus português*. E sua lembrança vinha a calhar, já que estava chegando a hora da despedida.

Banho tomado, corpo vivificado, maleta refeita, agora é tomar café, mordiscar um naco de qualquer coisa, comedidamente, pois mamãe me espera para o almoço e eu tenho certeza de que a esta altura ela está se esmerando na preparação de outro banquete tão exagerado quanto o do meu pai. Bom mesmo é ser visita. Mas essa excessiva prodigalidade, esses exageros culinários para um só e único visitante me deixam encabulado. Parecem os roceiros de antigamente a receberem ilustres personalidades da cidade e não mais um dos muitos filhos, que chegou sem aviso, num dia comum, sem nada demais. E a cena se repete, à mesa do café da manhã: mungunzá, cuscuz de milho, beiju de tapioca, pão, manteiga, queijo, coalhada, requeijão, umbuzada — só para eu me lembrar de novo da minha primeira visão do paraíso, o panorama estonteante que uma garotinha chamada Inesita me ofereceu um dia, ao subir num pé de umbuzeiro —, e eu que não fizesse desfeita. Nada a fazer. A não ser me empanturrar. Com prazer. E matando a saudade de alguma coisa.

Barriga forrada, sacolas arrumadas, pratos, talheres, etc. devolvidos, dona Amélia devidamente remunerada — "Não precisava se incomodar, não precisava" —, casa fechada, abraços, beijos, despedida: "Você vai escrever, vai me telefonar de vez em quando, vai se lembrar de mim?" Sim, sim, sim, Inês, Inesinha, Inesita. E tome conta do meu pai, cuide dele, por favor. "Deus te leve", ela diz. Nem precisou dizer como tia Anita, a esmoler tocante, "Deus te leve, viiuuuuu!" para eu sentir um arrepio na pele, um estremecimento por dentro.

Ligo o motor do carro e parto, com o meu pai ao meu lado. Buzino e dou um adeusinho pra trás, olho pra trás. E lá estava ela, acenando. "Neste lugar as pessoas choram, quando você vai embora." Desço a praça bem devagar, vendo um que passa hoje, outro depois de amanhã. A passos de anteontem. Dizem que em cidadezinhas como esta só existem três assuntos de interesse público: quem morreu, quem faliu e quem está dando. Com certeza Inesita já está na boca do povo. Aqui tudo se sabe. Mas que importância terá isso? Ela já deve estar vacinada, a crer na história inacreditável que o meu pai me contou, sobre o seu malfadado casamento. Pergunto ao velho Totonho se precisa comprar alguma coisa.

— Cigarro e fósforo.
— Só isso?
— Só.
— E feijão, farinha, café, sal, açúcar?
— Você trouxe tudo isso, esqueceu? Tem tanta coisa nestas sacolas que eu pensei que você tinha vindo pra ficar mais tempo.

— É tudo pro senhor mesmo, mestre Antão.
Paro na venda do Údsu. Ele reclama:
— Você sumiu. Por quê?
— Estava me divertindo com o velho.
Údsu grita para o carro:
— Vai uma branquinha aí, seu Totonho?
— Obrigado, mas não bebo.
Os filósofos de sempre coçam os pés, olhando para ontem. Escornados. Vendo a vida passar, pelo rabo dos olhos.
— Essa é boa — diz o Údsu. — "Obrigado, mas não bebo." Só se entrou pra uma igreja dos crentes. Se todo mundo aqui seguir o exemplo dele, vou acabar falindo.
Peço um pacote de cigarros, outro de fósforos, alguns litros de água mineral, também para o meu pai, rapadura, pra levar pra mamãe, pra Noêmia e pra minha casa, e dois copos de cachaça, para fazer uma surpresa.
— Cheios. Da mais purinha.
Ele me entrega as compras, que levo para o carro. E volto. Os dois copos já estavam sobre o balcão. Cheinhos. Pago a conta, dizendo:
— Olha, Údsu. Aqui está a minha contribuição pra você não ir à falência. E antes de partir eu não podia deixar de tomar uma cachacinha com você. Vamos brindar ao nosso tempo de escola?
— Pensei que esta era pro velho.
— Não, é sua. Beba. Tintim.
Ergo o meu copo, faço o brinde e digo:
— E esta, amigo Údsu, é pra você parar de debochar do meu pai — e atiro a cachaça na cara dele. — E isto é só um aviso, seu pançudo escroto. Na próxima eu encho você de porrada e arrebento toda esta bodega de merda. Sacaneia o velho de novo, pra você ver!

— Que é isso, Totonhim? Ficou maluco? Eu só estava brincando. Gosto muito do seu pai, pergunte a ele.

Deixo-o choramingando e rodopiando no meio da sua venda, atrás do balcão, feito um galo cego, com os olhos, a cabeça e o rosto encharcados da mais pura e genuína branquinha dos canaviais e alambiques de barro do Nordeste do Brasil. Os filósofos não se moveram. Não era com eles.

— Lave os olhos com água e sabonete, que logo você volta a enxergar — grito da janela do carro. E arranco.

— O que houve, Totonhim?

— Velho, dei um banho de cachaça no Údsu. Ele estava muito fedido, precisando mesmo de uma lavada.

— Hum. Este fede mesmo. E não vale o peido de uma porca. Só por ser irmão do prefeito vive sacaneando todo mundo.

— Acho que agora ele vai pensar duas vezes, antes de sacanear alguém.

E vou em frente, buzinando, acenando e rindo da risada do meu pai:

— Quer dizer que você deu um banho de cachaça naquele ladrãozinho? Rá, rá, rá.

Encosto no posto de gasolina, abasteço o carro e pergunto pelo rapaz que foi baleado. Já estava a salvo. O dono do supermercado também. Tudo sob controle. V'ambora. Ao som de Luiz Gonzaga, o Rei do Baião. Para a glória do meu pai.

Ao atingirmos o topo da Ladeira Grande, ele aponta para uma entrada:

— É logo ali.

E logo chego à toca do lobo, depois de avançar por alguns poucos metros de estrada de terra molhada, escorregadia. Deixo o carro em frente da cancela e entro. O meu pai segue à frente, a passos apressados, chamando as galinhas: "Ti-ti, ti-ti." Quando chega à casa — à sua toca —, tira um saquinho de milho de dentro de uma das sacolas, enche as mãos de grãos, que joga no terreiro. "Ti-ti, ti-ti." As galinhas aparecem no mesmo instante, como que por encantamento. E vêm correndo, ansiosas, desesperadas. Avançam sobre o milho, avidamente. Ele fala com elas, faz com que algumas comam em suas mãos, brinca, feliz.

Pergunto:

— E aí? Está faltando alguma?

Aponta o dedo de galinha em galinha, contando, uma a uma.

— Não. Nenhuma fugiu. Nem foi roubada.

— Que bom.

— Agora venha conhecer a minha rocinha.

Começamos pela casa. Uma taperazinha, com um pequeno avarandado e um banco de madeira, de frente para o pôr do sol, sala, quarto, cozinha e banheiro. Tudo minúsculo, mal dando para uma pessoa se mover lá dentro de braços abertos. Uma toca mesmo. Perto da que já tinha tido um dia, onde eu havia nascido, esta parece uma casinha de brinquedo. Mas com tudo muito bem arrumadinho: a cama — de solteiro —, a mesa, com duas cadeiras, as panelas, os pratos, os talheres e as toalhas no banheiro. Fogão de lenha, potes d'água, luz de candeeiro, como antigamente. Aqui ele faz tudo, sozinho. Planta, colhe, lava, passa, varre, cozinha. Em volta da casa, muitas árvores frutíferas: mangueira, jaqueira, mamoeiro, bananeiras, cajueiro. E um terreninho que dá feijão, couve, batata-doce, aipim, essas coisas. Andamos pelo terreno. E concluo que minha irmã Noêmia não estava exagerando, quando me disse ao telefone que daqui de cima a vista era deslumbrante, um espetáculo. Olho em frente, pros lados, lá pra baixo. E lá embaixo está a rua, como o lugar sempre foi chamado, desde os seus tempos de povoado. Virou uma cidadezinha, quieta, silenciosa, enfeitada de árvores e antenas parabólicas — à espera do fim do mundo. Não faz nem meio século que ganhou o *status* de cidade. Mas quantos anos de solidão?

Há pouca gente aqui e não é por um planejado controle de natalidade. É que muitos foram embora. E nunca mais voltaram. Entre os que ficaram, há os que nunca viram o mar. E o mar está tão perto. Muito mais perto do que o Cruzeiro dos Montes está de Deus. Quem nunca viu o mar, rios, florestas, cidades — e há quem não conheça nem a de Inhambupe, daqui a sete léguas —, não parece se importar com isso. Desde que chova, está tudo bem. Alguns dos que saíram voltam de vez em quando, para a festa da Padroeira e as de Santo Antônio, São João e São Pedro. Outros retornam — para morrer. Enforcados. Pensando nisso, nem olhei para o canto da sala onde o meu irmão Nelo se matou. A manhã foi tão animada que acabei me esquecendo. Vou ficar devendo mais essa à minha boa fada Inesita. Pergunto ao meu pai se ele não tem medo.

— De quê?

— De morar aqui sozinho.

— Que mané medo, que nada.

— Nem de noite, numa noite escura?

— E as estrelas, menino? É nas noites mais escuras que o céu fica mais bonito.

— E quando fica nublado ou chove?

— Eu me distraio com os vaga-lumes ou encho os potes d'água.

— E de morrer aqui sozinho, papai? O senhor não tem medo disso, não?

— Olhe, Totonhim. Escute uma coisa. Eu sei que vocês todos se preocupam muito com isso. Mas ouça: eu vou saber certinho o dia que Deus vai mandar me buscar. Aí eu aviso pra Noêmia, que é boa pra essas coisas, e ela se encarrega de contar pra vocês todos. E quero todo mundo aqui, todo mundo junto, pra minha última festa.

— E como é que o senhor vai saber que o seu dia está pra chegar?

— Sabendo. E mais eu não digo. Nem morto.

Ele riu. Esse velho...

Passo-lhe um dinheirinho.

— Antes que eu me esqueça, aqui está um pequeno reforço para as suas reservas financeiras.

— Não precisava, Totonhim. Não precisava.

Porra, aqui parece que ninguém precisa de dinheiro. Sempre essa história de "não precisava, não precisava". Será que a única necessitada é a pobre da tia Anita, mesmo assim a contentar-se com uma nica?

— Mas não vá gastar tudo em chicletes e outras besteiras, não, viu, mestre Antão?

Ele riu de novo.

— Não se preocupe. Também não vou dar pros crentes.

— E venha comigo, que tenho mais uma lembrancinha pelos seus oitenta anos.

— Pra que tanto presente, Totonhim? Já tá bom, já tá bom. Chega. Parece que você quer me encher de coisa, por cada ano que ficou fora.

— Vai se negar a receber mais um presentinho meu, é, velho? Não me faça esta desfeita. Venha.

Andamos até o carro e peguei um rádio de pilha que eu havia trazido e guardado como surpresa.

— Este vai lhe fazer companhia, aqui nestes ermos.
— Ah, Totonhim. Moro sozinho mas vivo muito bem acompanhado. Pelas graças de Deus.
E dos seus mortos, penso, sem coragem de tocar no assunto. Ainda que morrendo de curiosidade de perguntar sobre isso.
Junto com o rádio, deixo um pacote de pilhas. Ensino-o a trocá-las. E ligo o rádio.
— Este toca Luiz Gonzaga?
— De vez em quando deve tocar.
Mexo pra lá, mexo pra cá, ensinando-lhe como o rádio funciona, como liga e desliga, como muda de estação.
Ahora, a Vigo me voy.
— Vou indo, velho.
— Não quer levar uma das minhas galinhas, não? Escolha a que quiser.
— Galinha não dá pra levar. Mas bem que os meus filhos iam adorar. Ia ser a maior zorra lá em casa. Moramos em apartamento.
— Leve, leve. Deixe os bichinhos se divertirem.
— Não dá, papai. Posso levar um cacho de bananas e outras frutas, que vou distribuindo pelo caminho ou encarrego Noêmia da distribuição.
É aí que ele vai à forra e me atulha de sacolas de frutas e mais frutas.
Tem uma toca, com um banco no avarandado, para contemplar o pôr do sol, meditar e, à noite, receber as almas do outro mundo. Cama e fogão. Uma nesga de terra cultivável. A alegre companhia das galinhas. E um pomar. Dava-se por satisfeito.
— Até a próxima, seu Totonho.
— Mas até quando?
— Quando o senhor menos esperar.

— E você não espere até a hora do meu aviso, viu? Aquele que eu falei há pouco.

— Pode deixar. Vou reunir todos os meus irmãos, pra a gente já começar a comemoração dos seus cem anos.

— O melhor lugar pra tratar disso é aqui, no mês de junho. Sim, Totonhim, você vem pro nosso São João?

— Vou fazer todo o possível.

— Venha. Não deixe de vir. E traga minha nora e os meus netos de São Paulo. Não esqueça, não, viu, seu cachorro!

Dou-lhe um abraço. Longo, apertado, sem palavras. Depois entro no carro.

Ele começa a cantar:

Vai, boiadeiro, que a noite já vem.
Pega o teu gado e vai pra junto do teu bem.

— Rá, rá. Não se morre mais.

— Não quer vir comigo? Venha comigo, papai.

— Eu, não. Não sou doido, não. Daqui não saio nem amarrado. O que era que eu ia fazer fora daqui, Totonhim? Nesse mundo aí não tem mais lugar pra velho.

— Nem pra novo, mas deixa pra lá. Até qualquer dia.

Manobro o carro e parto. Sua voz me acompanha na estrada:

— Vai com Deus, Totonhim. Deus te abençoe, mô fio.

Mô fio!

Agora, sim. Agora ele puxava a voz lá de dentro, do fundo do tempo, das profundas da minha memória.

Mana Noêmia me pediu, encarecidamente, para não lhe dar dinheiro, de jeito nenhum. E me fez jurar que não faria isso. "Pelo amor de Deus, não dê a ele um único centavo. Se você der, ele vai torrar em cachaça." Quebrei a minha jura.

Que torre os trocados que lhe dei no que quiser. Até em cachaça mesmo, mô véio.

Este livro foi composto na tipologia Goudy Old
Style, em corpo 12/14, e impresso em papel
off-white 70g/m² no Sistema Digital Instant Duplex
da Divisão Gráfica da Distribuidora Record.